Manual de todas las
TÉCNICAS DE
PUNTO DE CRUZ

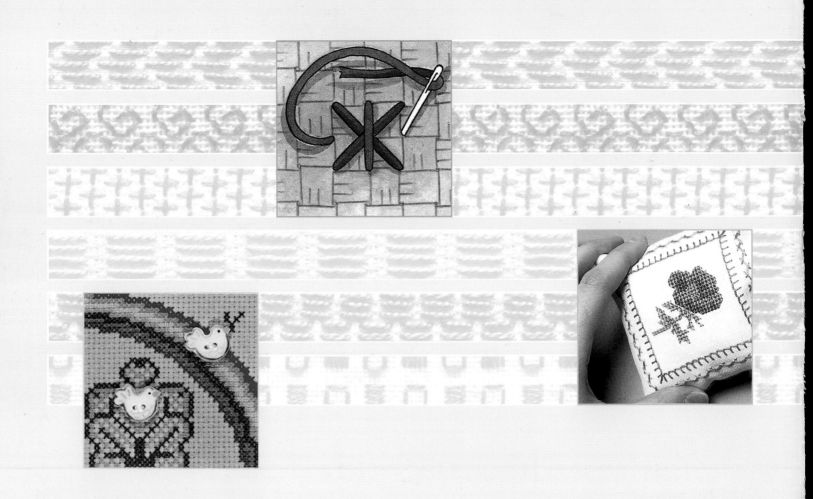

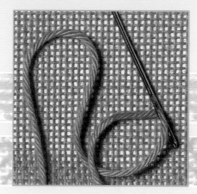

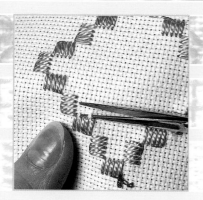

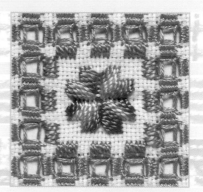

Manual de todas las
TÉCNICAS DE
PUNTO DE CRUZ

Guía visual, paso a paso, con una inspiradora muestra de labores acabadas

BETTY BARNDEN

UN LIBRO QUARTO

Copyright © 2003 Quarto plc
Copyright © 2005 Editorial Océano, S.L.

ISBN 84-7556-213-2

Creado, diseñado y producido por
Quarto Publishing plc
The Old Brewery - 6 Blundell Street - Londres

Editora del proyecto Kate Tuckett
Editora gráfica Sally Bond - **Diseño** Heather Blagden
Correcciones Gillian Kemp, Sue Viccars
Fotógrafos Paul Forrester, Colin Bowling
Ilustradoras Coral Mula, Jennie Dooge
Encargada de imágenes Sandra Assersohn
Directora artística Moira Clinch
Editor Piers Spence

Traducción Blanca Rissech
Edición en español Teo Gómez, Marc Ancochea, Esther Sanz
Edición digital Jose González

Producción Universal Graphics Ltd, Singapore
Impreso por SNP Leefung Printers Ltd, China

Editorial Océano, S.L. - Grupo Océano
Milanesat, 21-23 - 08017 Barcelona
Tel. 93 280 20 20 - Fax 93 203 17 91

¡Consulte nuestra web!
www.oceano.com

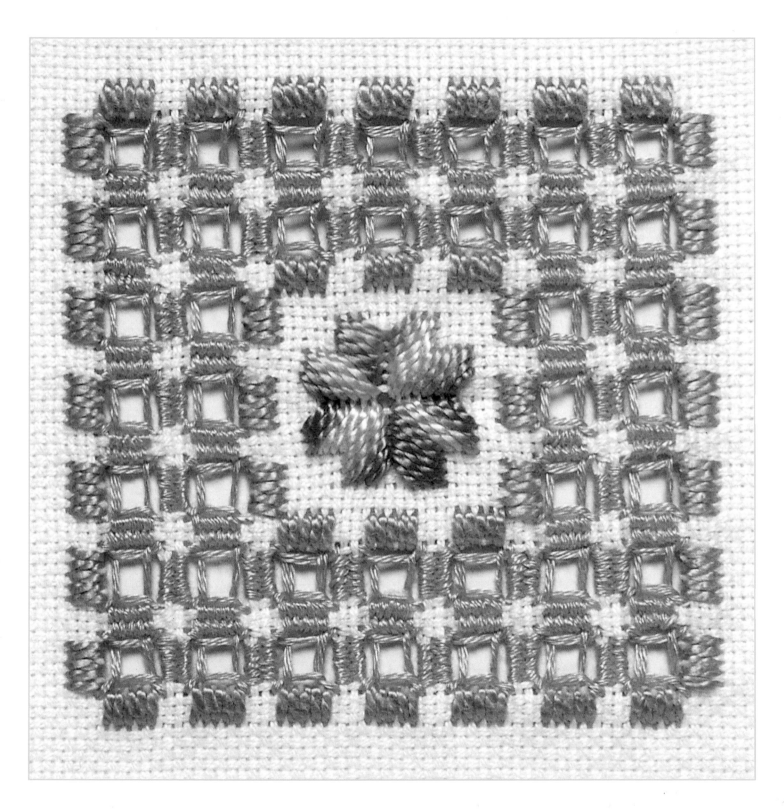

Sumario

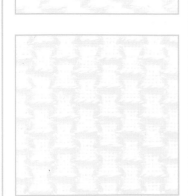

INTRODUCCIÓN

El punto de cruz es uno de los muchos puntos utilizados en el bordado sobre tela de trama uniforme, que podríamos denominar «bordado a punto contado». Las puntadas se realizan contando los hilos del tejido y pasando la aguja entre los cuadros de la tela para conseguir tamaños determinados. Además del punto de cruz y sus variaciones, este tipo de puntadas incluyen el medio punto y el punto gobelino. Existen muchos otros tipos de puntos y técnicas, como el punto lanzado, el punto de tallo, de cadeneta o de escapulario, que se pueden conseguir del mismo modo. Esta versátil colección de puntos y técnicas se utiliza para conseguir una impresionante gama de efectos.

Los materiales y los útiles necesarios son simples y se pueden adquirir fácilmente. Para que las puntadas sean precisas, la tela debe estar tejida de forma regular, preferiblemente con la misma cantidad de puntos por pulgada (2,5 cm) en cada dirección y con unos puntos suficientemente grandes para poder contarlos con facilidad. El hilo del bordado ha de ser suave y resistente, de manera que una aguja de punta roma pueda pasar fácilmente entre los hilos tejidos sin romperse.

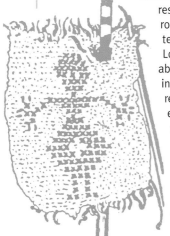

Los dibujos pueden ser figuras geométricas abstractas o formas naturales y estilizadas, incluyendo representaciones fantásticas o realistas de cualquier tema. En el pasado, el bordado a punto contado se adaptó a muchas formas y propósitos, y se aplicó a la ropa, la tapicería, el mobiliario de edificios públicos y del hogar y los objetos conmemorativos o instructivos. Hoy en día podemos realizar nuestras propias adaptaciones para practicar esta versátil actividad como queramos.

▲ *Labores de punto de cruz indias y tailandesas con figuras geométricas. Cuando se ha creado un adorno de este tipo, es fácil repetirlo en otros colores.*

LOS ORÍGENES DEL PUNTO DE CRUZ

Las telas y los hilos son perecederos, y los ejemplos más antiguos de bordado con los que contamos hoy en día no tienen más de mil o dos mil años. Los documentos históricos más antiguos mencionan labores indias, griegas y chinas de dos mil años de antigüedad o más, pero no existe ningún ejemplar para observar las puntadas, las telas o los hilos que se utilizaban. Seguramente, las mismas sociedades que producían joyas o cerámica decorada producían ropa decorada con dibujos bordados o tejidos. El hecho de coser una tela (o una piel) ya puede considerarse un acto de creación, y sólo es preciso dar otro paso para la realización de dibujos decorativos sencillos, como cruces, formas en zigzag o el contorno de las primeras figuras.

Cuando se domina, resulta sencillo copiar un adorno simple de punto contado. Los dibujos repetidos son fáciles de hacer, aunque hay que tener en cuenta el efecto decorativo para escoger los espaciados y los colores a juego. Para repetir un adorno, se necesita una tela de trama bastante regular. Lo ideal sería la ropa blanca hecha en casa, de algodón o lana, tejida en un telar manual, y los hilos del bordado coloreados con tintes minerales o vegetales, así como el uso de agujas de hueso o de hierro. Los documentos históricos y los restos arqueológicos, los restos de telares, las agujas y los pigmentos utilizados para el teñido nos muestran que estos materiales y útiles básicos se han utilizado durante varios miles de años, aunque las telas hayan desaparecido.

◄ *Los diseños precolombinos peruanos y mexicanos son una muestra de la atracción que se siente en todo el mundo por decorar telas a punto de cruz o con otros tipos de punto.*

▶ *Los antiguos dibujos chinos se realizaron con telas e hilos de seda. Las rutas comerciales de la antigüedad permitieron que estos materiales exóticos penetraran en Europa Occidental.*

Se conservan fragmentos de bordados tradicionales realizados en Egipto, Europa del Este y las islas griegas desde los siglos XVI y XVII. Los adornos están inspirados en una gran diversidad de motivos, y muchos de ellos se han transmitido probablemente de generación en generación durante siglos. Este hecho demuestra que se trabajaba con materiales y útiles sencillos y que se copiaban los diseños.

EXPANSIÓN CULTURAL Y COMERCIAL

Las antiguas rutas comerciales de Europa y Asia convirtieron el Mediterráneo en un lugar de encuentro durante miles de años. Sedas, algodones, linos, lanas y tintes de todo el mundo conocido se comercializaban por tierra y por mar, desde China, Persia e India a Europa del Norte. La tela hecha de seda llegó a Grecia en el año 400 a.C.; procedente de China, donde guardaban con recelo el secreto de sus métodos de producción. Además de las materias primas, también se comerciaba con los productos acabados: telas y alfombras e incluso metalistería, cerámica y otros objetos artesanales. Las bordadoras, como el resto de artistas y artesanos, siempre se han inspirado en su propio entorno y en los productos exóticos de otras culturas, copiándolos,

▲ *El punto de cruz y el punto de Holbein decoran el ribete de este babero de lino y rodean el adorno de una labor de Asís que representa un pájaro.*

interpretándolos y rediseñándolos según sus propias creencias o propósitos. Durante el medievo, en Europa y Asia los artesanos producían trajes espléndidos, así como labores para colgar y otros motivos decorativos para las cortes reales y las ceremonias religiosas. Trabajaban en talleres especializados, financiados por la aristocracia rica. Durante el Renacimiento, el crecimiento del comercio y un tiempo dedicado al ocio cada vez mayor, el arte del bordado se convirtió en un pasatiempo para las esposas e hijas de ricos y poderosos. Las modas en las prendas de vestir y los muebles cambiaron a lo largo de los siglos, pero las telas bordadas a mano siempre se relacionaban con la clase alta. Dichas telas se encargaban a bordadoras profesionales o, en el caso de las clases menos pudientes, se trabajaban en casa y se imitaban en materiales más asequibles.

LOS DESARROLLOS TECNOLÓGICOS Y SOCIALES

Gracias a los avances tecnológicos en metalistería, introducidos en España por los árabes durante el siglo X, se inició la producción de acero templado. Además de armas y herramientas, este avance también se aplicó para hacer agujas delgadas y fuertes y tijeras muy afiladas. Con estos nuevos útiles se consiguieron los complejos efectos de la labor en negro del Renacimiento. La moda de las labores en negro se extendió a partir de España a toda Europa durante los siglos XV y XVI, desde la geometría estilizada de los dibujos de inspiración árabe hasta los elaborados rollos, flores y follajes de la Inglaterra de la reina Isabel I. En Italia, se desarrolló el elaborado bordado con calado, y el punto de cruz combinado con la labor en negro, conocido como labor o bordado de Asís.

◀ *Los adornos tradicionales normalmente se realizaban con una simple repetición y con un único color vivo.*

◀ *Una muestra con un abecedario similar al que hacían las niñas en el colegio, que se utilizaba de ejemplo para copiar, más que para mostrar o decorar.*

▶ *Las letras estilizadas y complejas se utilizaban a menudo para adornar la ropa blanca, como se puede apreciar en este paño sueco para limpiar vasos.*

▲ *Durante siglos, aprender el arte del bordado a partir de muestras se consideró un elemento esencial de la educación de una niña.*

El cañamazo, la seda, el lino y el resto de materiales utilizados en los bordados se obtenían en las grandes ciudades, mientras que algunos útiles más pequeños como hilos, dedales, alfileres, agujas, tijeras, ¡y gafas!, podían comprarse a los vendedores ambulantes. Los libros con patrones empezaron a estar disponibles a finales del siglo XVI, así como los herbarios y bestiarios que contenían ilustraciones de plantas y animales, que la bordadora podía reseguir o copiar.

De todas formas, encontrar libros era bastante difícil en esa época, así que la muestra siguió siendo un elemento importante. Constaba de un trozo de tela (normalmente lino), con ejemplos de adornos y gráficos. Las muestras no se utilizaban para adornar, sino que se guardaban enrolladas en el neceser de costura a modo de referencia y normalmente se pasaban de madres a hijas. En la escuela, las niñas tenían que producir sus propias muestras para demostrar su habilidad bordando abecedarios. En las grandes tiendas, la ropa blanca normalmente estaba marcada con símbolos o iniciales bordadas, y se consideraba que las niñas tenían que aprender esta importante habilidad.

INFLUENCIAS MUNDIALES

A partir del siglo XVI, el crecimiento del comercio mundial y el descubrimiento de continentes nuevos atrajo una gran corriente de influencias exóticas. India, China, Japón, África y América proporcionaron bordados, telas impresas, esculturas, cerámica, joyas, metalistería y otras actividades artesanales que

◄ *Este mantel con puntillas para una bandeja presenta un adorno repetido y sencillo de Hardanger combinado con punto lanzado.*

versiones impresas a color. Estos gráficos se vendían junto con una amplia gama de lanas de colores y de cañamazos, y las «labores de lana de Berlín» hicieron furor. Se trataba de imágenes multicolores muy elaboradas hechas a punto de cruz. Los dibujos eran más realistas e incorporaban el sombreado. Gracias al desarrollo de diversos tintes sintéticos en el siglo XIX, hoy se cuenta con una gama de colores vivos mucho mayor.

▼ *A partir del siglo XIX se produjeron gráficos y patrones impresos para promover la venta de hilos, telas y cañamazos.*

representaban animales, pájaros y flores desconocidos, ropas extravagantes, edificios singulares y herramientas únicas. Los libros ilustrados y las exposiciones cambiaron la moda en Europa y América, con nuevos y variados diseños.

Los colonizadores de América se llevaron consigo sus tradiciones y aplicaron las técnicas de punto de cruz sobre cañamazo y con los materiales que encontraron o que podían importar. Dejaron atrás los formalismos del Viejo Mundo para crear su propio arte popular y enérgico. A su vez, los indígenas asimilaron las técnicas de bordado europeas y las adaptaron para practicarlas con sus propios materiales tradicionales, como el pelo de alce y las púas de puerco espín.

En 1835 se produjeron por primera vez en Berlín los gráficos pintados a mano, seguidos poco después de

◄ **LOS GIRASOLES**
Bothy Threads
31,2 x 32,5 cm
*Punto de cruz
con hilo Mouliné
en Aida 14*
Los colores vivos
y sencillos del
cuadro de Vincent
van Gogh pueden
plasmarse
fácilmente con
el punto de cruz.

▼ *Antes de que
existieran las
secadoras, la ropa
de cama de lino
tenía que aguantar
todo el invierno
en países como
Suecia, donde las
amas de casa
ataban los conjun-
tos con una cinta
de ropa bordada.*

▲ **UN MUNDO DE HOJAS**
Página web del bordado de Charlotte
22 x 29,8 cm
Punto de cruz y pespunte con hilo Mouliné en lino 16/32
Punto de cruz individual y puntos para marcar el contorno
con una paleta de colores ponderada para expresar la variedad
y las maravillas del mundo natural.

A fines del siglo XIX, existía un interés renovado por los
bordados tradicionales y populares aún existentes en Europa
y el Mediterráneo. Se recogieron y catalogaron ejemplos en
los museos. La gente admiraba las formas estilizadas y los
colores vivos porque eran sencillos y llamativos.

Más o menos en el mismo período, artistas y diseñadores
también recibieron la influencia japonesa y de otras culturas
orientales, favoreciendo una vuelta a dibujos planos menos
realistas y en tonos más apagados. Los valores de la

► EL PROYECTO DEL MAPA DE TILSTOCK

286 x 200 cm

Las comunidades de todo el mundo produjeron bordados conmemorativos para celebrar el reciente milenio. Este es un ejemplo de Inglaterra que combina punto de cruz y gobelino con otras técnicas de costura y bordado.

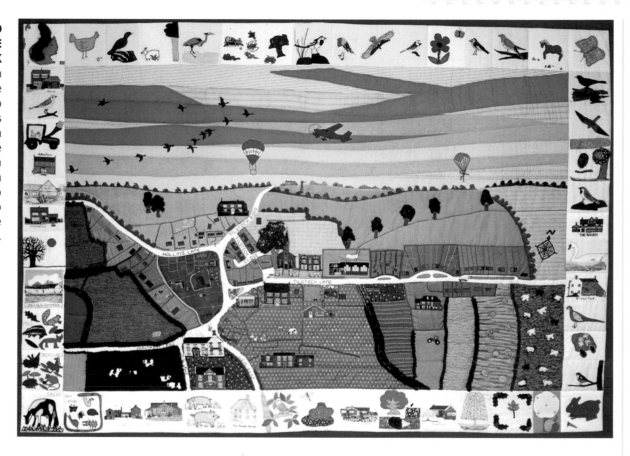

producción artesanal se tenían en consideración y la gente reaccionaba en contra de la creciente mecanización.

EL PUNTO DE CRUZ ACTUALMENTE

En el siglo xx, los rápidos avances en los procesos de fabricación de telas y en el teñido y la impresión de colores hicieron posibles los dibujos a punto de cruz que conocemos hoy en día. Los dibujos pictóricos multicolores y complicados son populares y normalmente imitan el realismo de la fotografía.

Desde la Batalla de Hastings, representada en la Tapicería Bayeux, al cambio de milenio, los bordados se han utilizado para conmemorar fechas y acontecimientos importantes en grandes representaciones, que a veces alcanzan el tamaño de los grandes tapices de El Escorial. En el año 2000, se llevaron a cabo imaginativos proyectos a nivel de comunidad como los mapas parroquiales. A menudo se dibujaban con las técnicas de punto contado más sencillas (como el punto de cruz), para que pudiera participar todo el mundo.

A lo largo de la historia (y seguramente con anterioridad), la bordadora, como cualquier otro artista, ha respondido no sólo a las influencias de su entorno, sino también a las influencias de otras tierras y culturas. Estas influencias se asimilan y se modifican con la personalidad de la creadora. Las cosas y las personas desconocidas siempre han generado interés y la necesidad de experimentar. ¡Nos encanta jugar con juguetes nuevos!

Con el advenimiento de la informática, la sofisticación de la impresión a color y la reprografía y los nuevos productos que ofrece el mercado, jamás habíamos tenido tanto por explorar. Sin necesidad de tener una habilidad especial para dibujar, podemos inventar nuestros propios dibujos. Además, podemos escoger telas e hilos tradicionales o hechos a mano, disponibles en una increíble gama de colores muy distinta a la que tenían las bordadoras del pasado. Espero que este libro te aliente a explorar esta fascinante actividad artesanal de infinitas posibilidades de una forma original y emocionante.

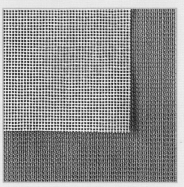

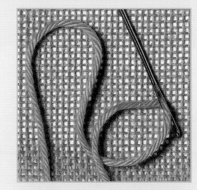

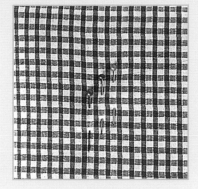

CAPÍTULO 1

Materiales y útiles

A continuación, te presentamos una guía de los hilos, telas y útiles básicos utilizados para todo tipo de bordado a punto contado. Hoy en día existen tantos materiales y accesorios distintos que se podría pensar que el bordado es una afición cara, aunque no hay nada más lejos de la realidad. Con la ayuda de la información incluida en este capítulo, podrás comprar los materiales que necesitas y los accesorios adecuados para cada proyecto sin caer en costosos errores. Además, acabarás conociendo tus materiales favoritos y los útiles necesarios para tu labor.

Hilos

Actualmente, existe una variedad desconcertante de hilos para bordar, en una amplia gama de colores lisos, combinados y con efectos especiales. Algunos son versátiles y adecuados para casi todo tipo de bordados. Otros están diseñados con un propósito más concreto.

Hilo Mouliné
Consta de seis hebras finas de algodón a menudo ligeramente enrolladas que forman una pequeña madeja. Se pueden combinar tantas hebras como se desee, ya que es un hilo muy versátil. Es adecuado para la mayoría de labores sobre tela tramada.

Algodón perlé
Es un hilo firme y enroscado con un acabado brillante, adecuado para casi todo tipo de bordados, a menos que los puntos tengan que mezclarse, ya que la mayoría de los puntos hechos con este hilo se distinguen unos de otros. Está disponible en cuatro pesos distintos: nº 3 (el más pesado), nº 5, nº 8 y nº 12. El algodón perlé no puede dividirse en hebras.

Algodón de bordar
Es un hilo fino, enroscado y mate. Con este hilo, los puntos se distinguen unos de otros. No se puede dividir en hebras. A menudo se utiliza para la labor en negro.

Algodón para tapicería
Se trata de un hilo pesado, enroscado y mate con un acabado suave y un aspecto anodino. Con este hilo, los puntos se distinguen unos de otros. No se puede dividir en hebras. Es adecuado para telas gruesas y cañamazos.

Hilo
Mouliné

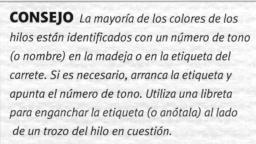

CONSEJO *La mayoría de los colores de los hilos están identificados con un número de tono (o nombre) en la madeja o en la etiqueta del carrete. Si es necesario, arranca la etiqueta y apunta el número de tono. Utiliza una libreta para enganchar la etiqueta (o anótala) al lado de un trozo del hilo en cuestión.*

100 m
9306
881
719269 091765
1022
719269 095183
5m (5.5yds)
3044
Kreinik Mfg. Co. Inc.
Parkersburg, WV 26102
800-537-2166

Algodón
de bordar

Algodón
perlé nº 8

Algodón
para
tapicería

Algodón
perlé
nº 5

Hilo de seda

Normalmente llamado seda floja, suele constar de cuatro a seis hebras, bastante parecidas a las del hilo Mouliné. Se utiliza como aquel, pero confiere a la labor un toque más lujoso debido a la profundidad del color y el brillo sutil de la seda.

Hilo de viscosa

Brilla mucho y se puede utilizar solo o combinado con hilos Mouliné. Se puede comprar en carretes de una única hebra o en madejas de cuatro o más hebras enrolladas. No es adecuado para bordar en cañamazo grueso (o cualquier tela gruesa) porque el hilo tiende a adaptarse a la superficie y los puntos pueden quedar irregulares.

Lana persa

Se vende en forma de madeja pequeña con dos o tres hebras ligeramente enrolladas. Se suele utilizar una única hebra para bordar sobre tela, pero se pueden combinar tantas como se desee para trabajar sobre cañamazo.

Lana para tapicería

Es una lana más pesada, similar en peso a la lana de doble hebra, pero con un acabado extremadamente fino. Las hebras no se separan, por lo que normalmente se utiliza sólo sobre cañamazo o tela Binca (páginas 19-20).

Hilo de color metálico y otros hilos especiales

Está disponible en una amplia gama de pesos: ligero (nº 4), medio (nº 8) y pesado (nº 12), que se muestran a continuación. El acabado puede ser de color metálico, perla o fluorescente. Se utiliza para reforzar un dibujo realizado con otro hilo.

Cinta de color metálico de 3 mm

Aún tiene un color más metálico y forma de cinta o tira plana. Ideal para realzar o añadir detalles de forma atrevida.

Hilo de mezcla

Consta de hebras separadas y muy finas diseñadas para combinarse en la aguja con otro hilo. Puede tener un color metálico, perla o fluorescente.

Hilos de color metálico

Lana persa

Hilos de viscosa

Hilos de seda

Lana para tapicería

Cintas de color metálico de 3 mm

Hebras finas de mezcla

MANEJAR LOS HILOS

Como norma, deberías trabajar con hilos de menos de 46 cm. Si el hilo es más largo, tiene más posibilidades de enredarse y de que, si es muy blando, se deshilache al bordar y las puntadas tengan un aspecto desigual.

1 Muchos hilos tienen una dirección «lisa» y una «rugosa». Coge un hilo y deslízalo entre las yemas de los dedos (o entre los labios) en una dirección y a continuación en otra para ver la diferencia. Para que las puntadas sean más fáciles de hacer, enhebra la aguja siempre por el extremo liso.

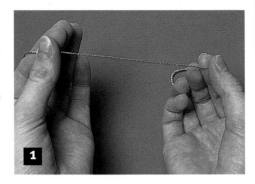

2 La punta lisa es, a menudo, la punta que se encuentra dentro de la madeja, por lo que tendrás que tirar del hilo desde el centro.
La madeja no se enredará y la etiqueta permanecerá en su sitio.

3 Debes desenroscar las madejas enrolladas (como la del algodón perlé). Normalmente se enroscan de tal manera que al cortar las dobleces se obtiene un conjunto de hilos de una longitud adecuada para bordar.

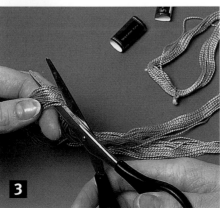

DIVIDIR LOS HILOS

Las madejas de los hilos Mouliné, de sedas y de lanas contienen varias hebras juntas pero no enrolladas entre sí. Las hebras pueden separarse con facilidad y utilizarse por separado. Para conseguir una hebra más pesada, pueden combinarse dos o más hebras.

1 Corta un trozo de 46 cm de longitud, separa las hebras al principio y tira de ellas una a una. Coloca las hebras sobre la mesa con todas las puntas lisas del mismo lado.

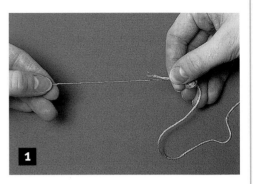

2 Si deseas trabajar con dos o más hebras a la vez, sepáralas y a continuación combina las hebras que necesites. De este modo, las hebras estarán juntas una al lado de la otra y el punto saldrá mejor y más fácilmente.

Telas

Existen varios tipos de telas y cañamazos que son adecuados para el bordado a punto contado. La tela Aida y las telas de trama uniforme normalmente no se cubren en su totalidad de puntadas, por lo que están disponibles en muchos colores y la tela es lo bastante sólida para resultar agradable como fondo de un dibujo. Los cañamazos son una trama abierta y normalmente se cubren en su totalidad de puntadas, por lo que la gama de colores disponible no es tan extensa.

Telas Aida

Son de trama uniforme, con hilos cruzados que forman un patrón de cuadrados y agujeritos sobre los que se puede aplicar el punto de cruz y otras puntadas a punto contado de forma regular. Normalmente son de algodón, aunque también existen otras mezclas de fibras para que el «manejo» resulte más suave o para obtener un acabado especial. El tamaño de la trama se indica con la «cuenta», que representa la cantidad de cuadrados (o agujeros) por pulgada. Es posible conseguir cuentas del 10 al 18, aunque las cuentas 12 y 14 son las más utilizadas en punto de cruz.

Tela Binca 6

Está tejida del mismo modo que la tela Aida. Debido a su trama amplia es adecuada para proyectos infantiles y de principiantes.

Tela Hardanger 22 y 24

Está tejida del mismo modo. Como los cuadrados son más pequeños, la tela es más sólida y adecuada para cortar y retirar hilos. Suele usarse en la labor de Hardanger (páginas 42-45).

Telas de trama uniforme

Llamadas también de esterilla. Están tejidas con un número igual de hilos en ambas direcciones, y el número de agujeros entre los hilos se llama «cuenta». La cuenta 8 es una tela muy gruesa y la cuenta 36 muy fina. A diferencia de la tela Aida, los puntos se cuentan con los hilos de la tela. Estas telas son de algodón, lino o fibras mezcladas.

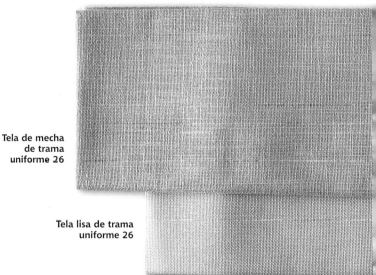

Tela de mecha de trama uniforme 26

Tela lisa de trama uniforme 26

Lino natural de trama uniforme 32

Aida 18 color crema

Aida 16 color beige

Aida 14 color rosa

Aida 14 con lúrex

Binca 6 color beige

Hardanger 22 color blanco

CAÑAMAZOS

También están tejidos con un número concreto de hilos, o pares de hilos, por pulgada en cada dirección, para formar un patrón en forma de trama cuadrada. El número de hilos (o agujeros) por pulgada se llama «calibre». Los cañamazos normalmente son de algodón o lino, y están disponibles en blanco o color natural, ya que a menudo su superficie queda totalmente cubierta por puntadas. Existen distintos tipos de cañamazo: los sencillos, que son adecuados tanto para los dibujos a punto de cruz como a punto gobelino, y los cañamazos dobles, que se tejen con hilos dobles horizontales y verticales (el calibre se cuenta con los agujeros), por lo que los agujeros son relativamente pequeños y contribuyen a que la puntada sea regular. Los calibres 10 a 22 son los más comunes.

Cañamazo sencillo de calibre 14

Cañamazo de plástico

No está tejido, sino que se moldea en láminas. Es muy estable y puede utilizarse para hacer objetos en tres dimensiones como cajas. Se fabrica en distintos colores y calibres.

Cañamazo de plástico de calibre 7

Cañamazo doble de calibre 10

Cañamazo deshechable

Está endurecido con un pegamento soluble en agua diseñado para deshacerse al mojarse. Se utiliza con dibujos a punto contado aplicados directamente sobre una tela lisa. Después del bordado, el cañamazo se elimina (páginas 76-77).

Cañamazo deshechable de calibre 14

CORTAR TELAS Y CAÑAMAZOS

Trabaja sobre una superficie lisa y plana. Corta siempre resiguiendo las hileras de agujeros con unas tijeras grandes, como las de modista.

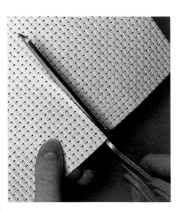

CONSEJO *Ten también en cuenta otros materiales con un patrón regular de cuadrados. Las mallas de alambre de este tipo (disponibles en cualquier tienda de productos de artesanía) son ideales para el bordado a punto contado.*

Útiles

Escoger los útiles adecuados

para cada proyecto te ayudará a

realizar la labor.

AGUJAS

El ojo de una aguja debería ser lo bastante grande para introducir el hilo con facilidad. La aguja hará pasar al hilo por la tela sin deshilacharlo.

Una aguja con un ojo demasiado pequeño es difícil de enhebrar y de deslizar por la tela y el hilo tiene más posibilidades de romperse.

Si la aguja es demasiado grande, los puntos serán irregulares y los agujeros de la tela podrían agrandarse.

punta roma se desliza bien entre los hilos de la tela sin separarlos. Utilízalas con telas Aida, telas de trama uniforme o cañamazos, escogiendo el tamaño más pequeño con el que puedas deslizar el hilo sin problemas.

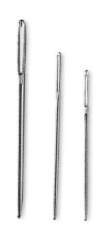

Agujas de bordar
Estas agujas son de punta roma y tienen ojos grandes y delgados. Son las agujas que más se utilizan en el bordado a punto contado, ya que la

Agujas de coser
De vez en cuando, puedes necesitar una aguja afilada por alguna razón en concreto. Escoge agujas con ojos bastante grandes fáciles de enhebrar.

OTROS ÚTILES
Enhebrador de agujas
El enhebrador es un accesorio útil si se trabajas con hilos y filamentos mezclados muy finos. ¡Pero no se debe utilizar para enhebrar una aguja de ojo pequeño con un hilo demasiado grueso!

Bastidores redondos o aros para bordar
Estos bastidores constan de dos aros de plástico o madera. Los bastidores de plástico tienen un aro exterior que es flexible y ligeramente elástico para colocarlo por encima del aro interior con la tela colocada en medio

(página 60), por lo que los bastidores de plástico no son adecuados para telas pesadas. El aro exterior de un bastidor de madera normalmente se ajusta con un tornillo para que se pueda trabajar con telas de peso considerable.

Los bastidores están disponibles en varios tamaños. Escoge un bastidor que sea lo bastante grande para acabar el trabajo sin tener que colocar el aro sobre la parte de la labor ya realizada y estropearla. Los bastidores pueden sujetarse con las manos o colocarse en un pie para tener las dos manos libres.

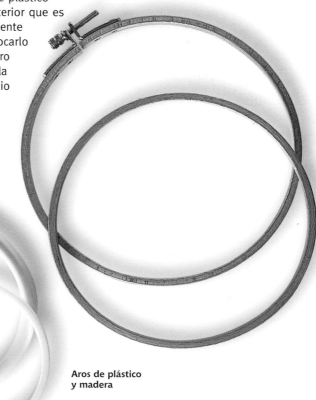

Aros de plástico y madera

Bastidor de listones

Están disponibles en varios tamaños, desde pequeños bastidores que se sujetan con una mano hasta bastidores muy grandes que se colocan sobre un pie. La tela se tiende entre los dos rodillos situados arriba y abajo y se engancha a las cinchas de los rodillos, que se ajustan para aprovechar la tela al máximo. La tela que queda a los lados puede atarse a ambos costados del bastidor (página 61).

Tijeras

Es esencial tener unas tijeras pequeñas y afiladas con punta. Y también unas tijeras más grandes para cortar telas, ¡y no las utilices nunca para cortar papel!

Pinzas

Cuando cortes con las tijeras los puntos sobrantes por el revés de la labor, necesitarás las pinzas para tirar de las puntas de hilo (página 66). Se pueden comprar unas pinzas especiales que se venden con lupa.

Dedal

El dedal no siempre se necesita para las labores a punto contado, ¡pero deberías tener uno en el costurero por si acaso! Escoge la medida que te vaya bien en el dedo corazón (el segundo dedo) y que tenga hendiduras profundas para que la punta de la aguja pueda quedar sujeta sin problemas.

Lupa

Existen distintos tipos de lupas y para mucha gente son de gran ayuda.

Alfileres

Escoge alfileres de acero de modista para no dañar la tela. Para fijar la tela (página 67), necesitarás chinchetas, alfileres con cabeza en forma de T o alfileres de cabeza grande.

Fuente de luz

Es de extrema importancia trabajar con buena luz, tanto por la precisión en el trabajo como para evitar la fatiga ocular. La mejor luz es la del sol, pero una bombilla de luz día en una lámpara de escritorio es un buen sustituto.

Bastidor de listones

Tijeras para cortar tela

Tijeras para bordar

Dedal

Cinco tipos de alfileres

Dos pares de pinzas, una con una lupa

CONSEJO *Mantenga siempre los alfileres y las agujas en un lugar seco. Una almohadilla con arena o serrín evitará que se oxiden.*

Rotuladores especiales para marcar telas

Utilízalos para marcar la tela temporalmente. Las marcas de los lápices que utilizan las modistas pueden borrarse con demasiada facilidad. La tinta de los rotuladores especiales puede ser soluble en agua o desaparecer (después de 48 horas). Prueba siempre el rotulador en un trozo de tela antes de utilizarlo en la tela del bordado. El agua puede manchar permanentemente algunas telas, como las sedas.

Regla y cinta métrica

Utiliza una regla o cinta métrica para comprobar la cuenta de la tela y para medir y marcar la tela de forma precisa. Las cintas métricas viejas se estiran con el tiempo. ¡Sustitúyelas!

Cinta adhesiva protectora

Se puede utilizar para cubrir los bordes de las telas o cañamazos para que no se deshilachen (página 59). También es útil para trazar y dibujar diseños (página 99).

Tabla para fijar

Algunos tipos de bordado necesitan tensarse más que plancharse (páginas 66-67). Puedes utilizar la tabla de planchar para las piezas más pequeñas, pero tener una tabla para fijar aparte es útil. Puedes hacerla del tamaño que más te convenga. Cubre un trozo de tabla plana con una capa de guata, doblada por los bordes y enganchada con pegamento o grapas por detrás. Cúbrela con una capa de tela de algodón blanco o de color no desteñible y fíjala del mismo modo. La tela de guingán es ideal, puesto que proporciona una cuadrícula para fijar el cuadrado de la labor.

Lápiz y rotulador especiales para marcar telas

Cinta adhesiva protectora

Tabla para fijar

Bombilla de luz día

Regla y cinta métrica

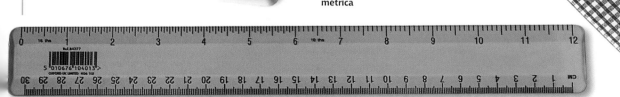

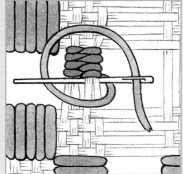

CAPÍTULO 2

Tipos de puntos

En esta sección se incluyen instrucciones detalladas para realizar labores
a punto contado de varios tipos, como el punto de cruz, la labor en negro
y la labor de Hardanger. También se incluyen otros puntos útiles que
pueden utilizarse con labores a punto contado, así como gráficos para hacer
abecedarios y números.

Intenta realizar los puntos que no conoces siguiendo las instrucciones y los
diagramas numerados para dominar un repertorio de puntos más amplio
y descubrir los efectos que puedes aplicar a tus labores.

Puntos básicos

En esta sección se incluyen los puntos básicos del punto de cruz, la labor en negro y la labor de Asís. Se muestran claramente en los diagramas y en las imágenes de ejemplo sobre tela Aida o de esterilla.

Normalmente, los puntos se dan entre los cuadrados de la tela Aida o por cada dos hilos de tela de esterilla de trama uniforme en cada dirección. Sin embargo, para el punto de cruz de tres cuartos y de un cuarto se debe pinchar la aguja en el centro del cuadrado de la tela Aida o justo por encima de una intersección en el caso de la tela de esterilla. Los puntos utilizados para marcar el contorno de un dibujo (el pespunte y el punto de Holbein) se bordan a veces en dos cuadrados de tela Aida para formar un ángulo o una curva.

◄ UN MOSAICO DE CORAZONES
Web del bordado de Charlotte
15 x 15 cm
Punto de cruz con hilo Mouliné sobre tela Aida 14
Repetición del dibujo de un corazón dentro de un cuadrado.

PUNTO DE CRUZ

Conocido en el pasado como punto de muestra, se trata de uno de los puntos de bordado más versátiles. Se utiliza para bordar dibujos, ribetes con motivos decorativos que se repiten o dibujos de muchos colores. También se utiliza en la labor en negro.

Puede hacerse de manera individual, acabando cada punto antes de empezar el siguiente. Esta técnica confiere a la labor la mejor presentación. Sin embargo, el punto de cruz también se puede bordar en hileras horizontales o verticales para cubrir zonas grandes de la trama con mayor rapidez. Para ello se deben bordar todas las puntadas en una dirección y a continuación en la otra. Si se mezclan puntadas en las dos direcciones con un mismo color en una zona concreta de la labor, puede verse la diferencia.

Para conseguir un aspecto uniforme es muy importante asegurarse de que todos los hilos superiores de las cruces del dibujo estén en la misma dirección. Lo más común es acabar la cruz desde la parte inferior izquierda hacia la parte superior derecha, como se muestra en el diagrama inferior.

Normalmente, con tela Aida cada puntada cubre un cuadrado de la tela y con tela de esterilla lo corriente es cubrir dos hilos en cada dirección.

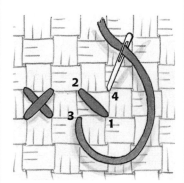

Punto de cruz individual
Saca la aguja por el número 1 y métela en el 2, bordando una puntada en diagonal desde la parte inferior derecha hacia la parte superior izquierda.

Saca la aguja por el número 3 y métela en el 4, bordando una segunda puntada en diagonal que cruce la primera desde la parte inferior izquierda hacia la parte superior derecha.

El punto de cruz individual puede repetirse en hileras, la primera hilera de derecha a izquierda y la segunda en dirección contraria. Luego, repite estas dos hileras.

Hileras horizontales de punto de cruz

Cada hilera se borda en dos fases y se empieza por la derecha.

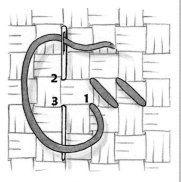

Saca la aguja por el número 1 y métela en el 2, bordando una puntada en diagonal.

Saca la aguja por el número 3, justo por debajo del número 2, para empezar a repetir la puntada hacia la

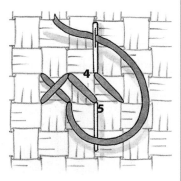

izquierda. Repítelo las veces que sea necesario.

Al final de la hilera, cambia de dirección y vuelve atrás para cubrir las puntadas en diagonal de la primera pasada, metiendo la aguja en el número 4 y sacándola de nuevo por el 5.

De esta forma se puede bordar una zona considerable de la labor, empezando por la hilera superior.

Hileras verticales a punto de cruz

Cada hilera se hace en dos fases y se empieza por arriba. Saca la aguja por el número 1

y métela en el 2 para hacer la puntada en diagonal.

Saca la aguja por el número 3, justo por debajo del número 1, para empezar a repetir la puntada hacia abajo. Repítelo las veces que sea necesario.

Al final de la hilera, cambia de dirección y haz la puntada hacia arriba para cruzar las puntadas en diagonal de la primera fase, metiendo la aguja en el número 4 y sacándola de nuevo por el 5.

De esta forma se puede bordar una zona considerable de la labor, empezando por la hilera de la derecha.

▼ PUNTO DE LIBRO DE FUCSIAS Y SAQUITO DE LAVANDA
Textile Heritage Collection
18 x 5 cm) y 9 x 5 cm
Punto de cruz con hilo Mouliné sobre tela Aida 15
El contorno está bordado con pespunte y a puntos rectos para los estambres de las flores.

PUNTO DE CRUZ DE TRES CUARTOS Y DE UN CUARTO,

Para bordar estos puntos con tela Aida debes meter la aguja en el centro de un cuadrado, donde no haya agujero.

Utiliza la punta de la aguja para hacer el agujero entre los hilos. Comprueba que el punto esté en el centro del cuadrado antes de bordar la puntada.

Punto de cruz de tres cuartos

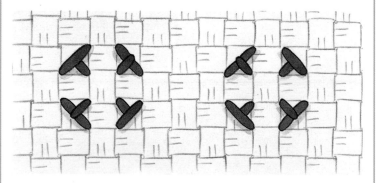

El punto de cruz de tres cuartos se utiliza normalmente para los bordes de un dibujo, para evitar contornos inclinados o curvados.

El punto se puede hacer en cualquiera de las cuatro direcciones, según requiera el gráfico, con el hilo superior inclinado y unido a los puntos de cruz enteros.

Empieza bordando la puntada de la diagonal (medio punto) inclinada en la dirección que convenga según el gráfico.

A continuación, haz la media diagonal (punto de cruz de un cuarto), sacando la aguja por la esquina adecuada y metiéndola en el centro, o por debajo o por encima de la puntada de la diagonal, para unir los hilos superiores de los otros puntos de cruz.

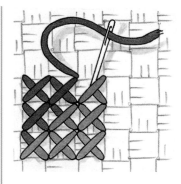

Punto de cruz de un cuarto

A veces es necesario rellenar el otro cuarto de un cuadrado (al lado de un punto de cruz de tres cuartos) con otro color.

Saca el segundo color por la esquina vacía y mete la aguja en el centro del cuadrado.

MEDIO PUNTO

Este punto es útil para rellenar grandes zonas de la labor, especialmente fondos que no tienen que resaltar mucho. Con este punto se gasta muy poco hilo. No cubre tanto la tela como el punto de cruz, de modo que el color del hilo se mezcla con el de la tela.

Se puede bordar horizontal o verticalmente, aunque es mejor no combinar las dos direcciones en la misma zona de la labor ya que se verá la diferencia.

La tela debería tensarse con un bastidor redondo o de listones para evitar la distorsión de la labor. Este punto normalmente requiere fijación (página 67).

Hileras horizontales

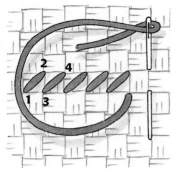

Borda de izquierda a derecha. Saca la aguja por el número 1 y métela en el 2. Saca la aguja de nuevo por el número 3 y métela en el 4. Repite esta acción en la misma hilera.

Al final de la hilada, da la vuelta a la labor y borda la siguiente hilera del mismo modo para que los medios puntos se inclinen en la misma dirección.

Revés

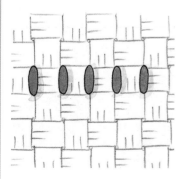

En el revés de la labor se formarán pequeñas puntadas verticales.

Hileras verticales

Borda de abajo a arriba. Saca la aguja por el número 1 y métela en el 2. Saca la aguja de nuevo por el número 3 y métela en el 4. Repite esta acción hasta llegar al final de la hilera.

Gira la labor y borda la siguiente hilada de abajo a arriba del mismo modo.

En el revés de la labor se formarán pequeñas puntadas horizontales.

PUNTO GOBELINO

Este punto es muy similar en aspecto al medio punto, pero la técnica de trabajo es un poco distinta y normalmente la tela se distorsiona menos. Con este punto se utiliza más hilo que con el medio punto.

Puede bordarse en diagonal, horizontal o vertical, según el diseño. Intenta no combinar direcciones distintas en la misma zona de la labor porque se verá la diferencia.

◀ **Hileras en diagonal**
Borda desde la parte superior izquierda hacia la parte inferior derecha, como se indica en el diagrama de la izquierda.

Saca la aguja por el número 1 y métela en el 2. Borda la siguiente puntada en diagonal hacia abajo y hacia

la derecha, dejando un agujero vacío. Saca la aguja por el número 3 y métela en el 4.

Haz lo mismo hacia abajo y hacia la derecha.

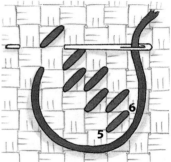

Al final de la hilera, saca la aguja por la parte inferior de la primera puntada de la siguiente hilera por el número 5 y métela en el 6. Luego, borda hacia la parte superior izquierda. Las puntadas acabarán en los agujeros vacíos de las hileras anteriores. Repite las puntadas hacia arriba y hacia abajo donde sea necesario.

Revés

En el revés de las hileras en diagonal se forma un patrón similar al de un cesto y, por este motivo, con este punto existen menos posibilidades de distorsionar la tela.

Hileras horizontales

Borda de derecha a izquierda. Saca la aguja por el número 1 del gráfico y métela en la esquina 2 de un cuadrado.

Saca la aguja de nuevo por el número 3 y métela en el 4. Repite la puntada hasta el final de la hilera.

Hileras verticales

Borda de arriba a abajo.

Saca la aguja por el número 1 y métela en el 2 de un cuadrado. Saca la aguja de nuevo por el número 3 y métela en el 4. Repítelo hasta llegar al final de la hilera.

PESPUNTE

Derecho

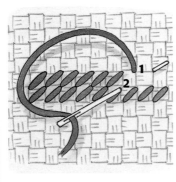

Revés

Borda la siguiente hilada en la dirección opuesta. Si resulta difícil darle la vuelta a la labor, trabaja como se indica aquí, sacando la aguja por el número 1 y metiéndola en el 2. Si puedes, dale la vuelta a la labor y borda la siguiente hilera de derecha a izquierda como antes.

En el revés de la labor se forman puntadas grandes inclinadas todas en la misma dirección.

Borda la siguiente hilada en la dirección opuesta. Si resulta difícil darle la vuelta a la labor, trabaja como se indica aquí, sacando la aguja por el número 1 y metiéndola en el 2. Si puedes, dale la vuelta a la labor y borda la siguiente hilada de arriba abajo como antes.

El pespunte se utiliza sobre todo para el contorno de un dibujo, y para añadir énfasis y detalles en algunas zonas de color o dibujos, normalmente de color negro o con sombra. Las líneas pueden ser rectas, discontinuas o curvas según las inclinaciones de los puntos.

Normalmente, las puntadas se dan en un lado del cuadrado o en diagonal. Para conseguir una inclinación específica, los puntos cubren a veces dos cuadrados, conformando una puntada más larga.

El pespunte se suele utilizar en un gráfico de líneas rectas en el que se indica donde colocar las puntadas. En labores a punto de cruz (página 26) y labores en negro (páginas 36-41), el pespunte perfila los dibujos y realza los detalles y normalmente se aplica cuando ya se ha acabado con el otro punto.

Para la labor de Asís (páginas 74-75), el contorno de un dibujo realizado con el pespunte se aplica antes de hacer el fondo.

Borda de derecha a izquierda. Saca la aguja por el número 1, métela a la derecha del número 2 y sácala fuera de nuevo por el 3. Para empezar el siguiente punto, mete la aguja por el mismo sitio en el número 1 (el final del punto anterior). Repítelo las veces que haga falta.

PUNTO HOLBEIN

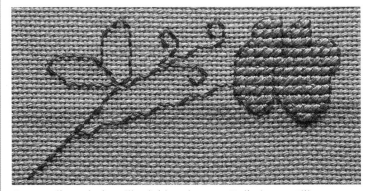

A veces llamado bastilla doble, el punto Holbein se utiliza para conseguir los mismos efectos que con el pespunte: perfilar y realzar los detalles. Normalmente se utiliza cuando ya se ha acabado la labor del punto de cruz o de otros puntos, para añadir detalles o realzar una forma. Las líneas pueden ser rectas, discontinuas o curvas.

La ventaja es que los hilos ocupan poco en el revés. Si se borda como se debe, puede ser reversible. Los hilos no se llevan al revés de la labor donde la tela no está punteada y puede utilizarse hilo oscuro en una tela abierta sin «sombrear».

Utiliza el punto Holbein para hacer todo tipo de dibujos, incluso para líneas que no perfilan ningún dibujo, como es el caso de las «espiguillas» que se muestran en la imagen.

Cada hilera se borda en dos fases. Saca la aguja por el número 1, métela en el 2, sácala por el 3 y métela en el 4. Repítelo para formar una hilera de puntos de bastilla. Las puntadas pueden ser horizontales, verticales o en diagonal, según convenga.

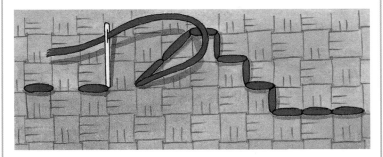

Da la vuelta a la labor y haz puntadas hacia atrás resiguiendo la hilera. Haz las puntadas exactamente en los mismos agujeros, rellenando los espacios entre los puntos de bastilla. No dividas las puntadas realizadas en la primera fase. Para que la labor tenga un aspecto cuidado, saca la aguja por el agujero encima del hilo de la primera fase y métela debajo o viceversa.

Si lo deseas, puedes bordar la segunda pasada en otro color.

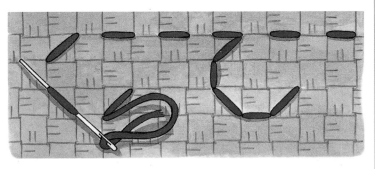

Las «espigas» se suelen bordar en la primera fase. Se llega al final de la espiga y se vuelve hacia atrás.

Puntos de cruz especiales

Estos puntos presentan algunas variaciones respecto al punto de cruz básico. Algunos surgieron por motivos concretos, como por ejemplo para marcar el lino por ambos lados con puntadas precisas, mientras que otros se utilizan sobre todo porque son muy decorativos.

PUNTO DE ESCAPULARIO

A veces llamado punto de cruz ruso, se utiliza en los ribetes de la tela o en forma de hilera como decoración. Las hileras del punto de escapulario se pueden bordar muy pegadas entre sí para rellenar una zona concreta de la labor con un dibujo tupido.

En los diagramas, el punto de escapulario indicado abarca dos cuadrados, pero el tamaño y la proporción pueden variar según convenga. Así pues, el aspecto puede ser desde muy tupido a poco tupido.

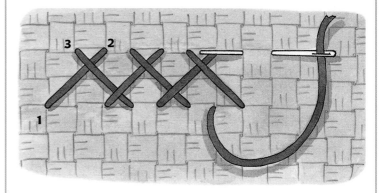

Borda siempre de izquierda a derecha. Saca la aguja por el número 1, métela en el 2 para crear una diagonal que cubra dos cuadrados y sácala de nuevo por el número 3, a sólo un cuadrado del 2.

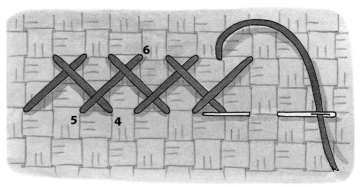

Mete la aguja en el número 4 para crear una diagonal que cubra dos cuadrados y sácala de nuevo por el 5, a sólo un cuadrado del 4, para volver a iniciar el proceso hacia la derecha. Mete la aguja en el número 6 para crear una diagonal que cubra dos cuadrados desde el 5 y a dos cuadrados a la derecha del 2. Repite la puntada hacia la derecha.

PUNTO DE CRUZ Y CUADRO

Este punto es reversible y forma una hilera de cruces en el derecho de la labor y una hilera de cuadrados en el revés. En el pasado se solía utilizar para marcar la ropa blanca de la casa con iniciales o con símbolos personales. Del revés, estas iniciales estaban obviamente al revés, aunque se podían leer con facilidad, pero los símbolos, como una corona o un corazón, eran simétricos. Al planchar o guardar este tipo de ropa, como las sábanas, era fácil saber cuál era el revés de la tela por el punto.

Al bordar dibujos en los que se necesitan líneas en distintas direcciones, a menudo hay que repasar algunos puntos en las esquinas del diseño que se sobreponen al dar la vuelta. Por este motivo, tradicionalmente se utilizaba hilo fino, para que los puntos de las esquinas no quedaran demasiado abultadas. En el pasado, este punto se bordaba sobre lino, pero en el diagrama está sobre tela Aida.

Haz una hilera de puntos de arriba a abajo.

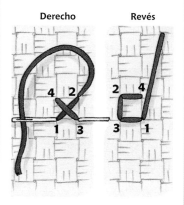

Derecho **Revés**

Utilizando la técnica del nudo perdido de inicio (página 63), saca la aguja por el número 1 dejando como mínimo unos 5 cm de hilo en el revés de la labor. Este trozo de hilo se utilizará más tarde para finalizar el primer cuadrado del revés.

Mete la aguja en el número 2, cubriendo el cuadrado, sácala por el 3 y métela en el 4, de manera que quede un punto de cruz en el derecho de la tela. Saca la aguja de nuevo por el número 2 y métela en el 1.

Saca la aguja de nuevo por el número 3. En el revés de la labor ya se habrán completado los tres lados del primer cuadrado.

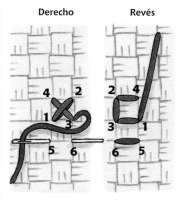

Derecho **Revés**

Mete la aguja en el número 5, un cuadrado por debajo del 1, y sácala por el número 6, un cuadrado por debajo del 3.

Derecho **Revés**

Mete la aguja en el número 1 de nuevo, sácala por el 5 y métela en el 3.

Saca la aguja de nuevo por el número 6 para poder empezar la siguiente puntada.

En el derecho se ha bordado un segundo punto de cruz y en el revés un segundo cuadrado.

Repite este último punto de cruz las veces que sea necesario.

Al girar en las esquinas, recuerda esta norma: Todos los puntos del derecho de la labor se bordan en diagonal y los del revés conforman un lado del cuadrado. Si es necesario, borda más de una puntada en las esquinas, hasta que la aguja esté en la posición correcta para poder iniciar la siguiente hilera de cruces. Da al vuelta a la labor para bordar la hilera de cruces de arriba a abajo.

Cuando hayas acabado la hilera, corta el nudo de inicio, enhebra el hilo en la aguja y termina la labor metiéndolo en la parte del revés de las puntadas del primer cuadrado, como se muestra en la imagen de la columna anterior.

PUNTO DE CRUZ REVERSIBLE

Con esta versión del punto de cruz se obtienen puntos de cruz idénticos en ambos lados de la tela, de manera que la labor es reversible. Se utilizaba bastante en la labor de Asís para bordar banderas y otros objetos que podían verse por ambos lados. A veces se conoce como punto de cruz italiano.

El punto de cruz reversible también puede utilizarse para bordar dibujos lineares en telas finas o translúcidas, con las que los hilos del revés del trabajo pueden verse con claridad.

Se utilizan puntadas de más de media diagonal en las esquinas del final de la hilera, por lo que el hilo utilizado debería ser bastante fino para evitar bultos.

Todas las puntadas tanto del derecho como del revés deberían bordarse en diagonal o media diagonal.

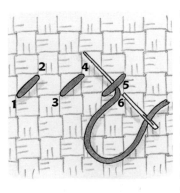

Cada hilera de cruces se borda en cuatro fases. Borda la primera fase de izquierda a derecha. Saca la aguja por el número 1 y métela en el 2, bordando un punto en diagonal en un cuadrado. Saca la aguja por el número 3, de manera que se forme un punto en diagonal en el revés. Mete la aguja en el número 4. Repite la puntada hasta llegar al final de la hilera y acaba con un punto en diagonal en el derecho de la labor. Saca la aguja por el número 5, por debajo del centro del último punto bordado, y métela en el 6. Saca la aguja de nuevo por el número 5.

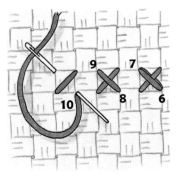

Mete la aguja en el número 7, bordando otro punto de media diagonal, saca la aguja de nuevo por el número 6 y métala en el 7, bordando un punto en diagonal completo por encima del hilo de la última cruz. De esta manera, se forma una cruz tanto en el derecho como en el revés, donde los puntos de las medias diagonales de más están escondidos.

Ahora borda la siguiente fase de derecha a izquierda. Saca la aguja por el número 8, y finaliza la siguiente cruz en el revés. Mete la aguja en el número 9, y finaliza la siguiente cruz en el derecho. Repite la puntada hacia la izquierda hasta el final de la hilera. Después de cruzar el último punto en el derecho, saca la aguja por el número 10 para iniciar la tercera fase.

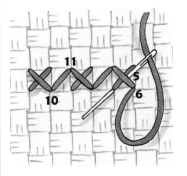

Borda de izquierda a derecha. Mete la aguja en el número 11 y borda un punto en diagonal en el primer espacio. Repite la puntada en cada espacio hacia la derecha hasta el final de la hilera. Al final de la hilera, saca la aguja por el número 6 y métela en el 5, como antes, para esconder el medio punto debajo de la diagonal. Saca la aguja por el número 12, que es donde está marcada la aguja saliente, para empezar la cuarta fase. Borda de derecha a izquierda, cruzando cada punto de diagonal de la fase anterior. Tanto el derecho como el revés de la labor deberían tener una hilera completa de cruces.

PUNTO DE ESTRELLA

También conocido como punto del diablo o punto de cruz doble, el punto de estrella es muy sencillo y se puede bordar por separado o en hileras, dispuesto en forma de dibujo regular o de forma aleatoria para decorar. Se suele utilizar en la labor en negro o a veces como parte de un ribete.

El punto de estrella se suele hacer abarcando más de un cuadrado de tela Aida; por ejemplo, dos o cuatro cuadrados en cada dirección o varios hilos de una tela de trama uniforme. La cantidad de cuadrados o hilos debe ser un número par.

Empieza a punto de cruz. Saca la aguja por el número 1 y métela en el 2. Sácala por el número 3 y métela en el 4.

Saca la aguja de nuevo por el número 5, entre los números 1 y 3. Acaba la

estrella con un punto de cruz vertical. Mete la aguja en el número 6 y sácala de nuevo por el 7, entre los números 2 y 3, y a continuación métela en el 8. Repite la puntada las veces que sea necesario.

PUNTO DE CRUZ VERTICAL

Este punto también se llama punto de cruz de San Jorge. Puede utilizarse en lugar del punto de cruz en cualquier diseño, aunque no cubrirá tanto la tela. Los puntos pueden bordarse por separado o en hileras, de forma aleatoria o muy pegados entre sí para crear un relleno tupido. Se suele utilizar en dibujos de labor en negro.

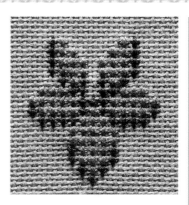

Punto de cruz vertical individual

Saca la aguja por el número 1 y métela en el 2 abarcando dos cuadrados (o hilos) y bordando un punto horizontal. A continuación, saca la aguja por el número 3 y métela en el 4, bordando un punto vertical. Repite las puntadas las veces que sea necesario.

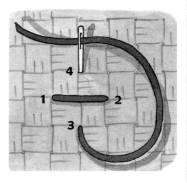

Punto de cruz vertical en hileras

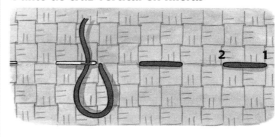

Borda la primera fase de derecha a izquierda. Saca la aguja por el número 1 y métela en el 2, bordando un punto horizontal. Repite las puntadas hacia la izquierda las veces que sea necesario.

Borda la segunda fase de izquierda a derecha. Saca la aguja por el número 3 y métela en el 4, bordando el punto horizontal sobre el vertical y haciendo una cruz. Repite el proceso hacia la derecha.

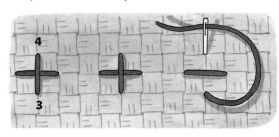

Dibujos de relleno sobre labores en negro

Estos dibujos se utilizan para rellenar distintas zonas de una labor en negro, tal como se describe en las páginas 78-91. Existe un número infinito de dibujos de relleno de labores en negro y casi todos los puntos incluidos en el capítulo 2 pueden utilizarse de este modo. Algunos dibujos utilizan sólo un tipo de punto (como el punto Holbein, página 31) y otros utilizan dos o más puntos combinados.

Cada dibujo de labor en negro consiste en una unidad de tamaño pequeño-mediano que se repite. Para que la labor tenga un aspecto regular, es importante repetir siempre cada dibujo en el mismo orden.

Cuando se trabaja con hilo oscuro sobre tela fina , es recomendable no pasar el hilo por el revés de la labor donde no hay puntos para que no se vea la «sombra». Por este motivo, el punto Holbein normalmente se utiliza a modo de pespunte y no tanto para bordar dibujos con puntos aislados en telas abiertas o finas. A veces es posible pasar el hilo entre los puntos en el revés de la labor para alcanzar la posición del siguiente punto.

Tradicionalmente, la labor en negro se bordaba con hilo negro sobre lino blanco, pero cualquier contraste de color fuerte es válido para este tipo de dibujos. Algunas de las imágenes están bordadas sobre tela de esterilla y otras sobre tela Aida. En los diagramas, un cuadrado representa un cuadrado de tela Aida. Las dimensiones de todos estos puntos pueden variar según se desee, pero debes planificarlo todo con atención sobre papel cuadriculado.

DIBUJOS BORDADOS CON PUNTOS INDIVIDUALES

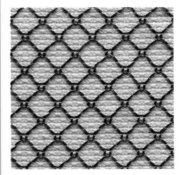

ENREJADO DE HOLBEIN
Empieza por la derecha. Borda la primera hilera con punto Holbein (página 31) de derecha a izquierda y luego hacia atrás. Borda una segunda hilera con punto Holbein del mismo modo, como se muestra a continuación. Repite estas puntadas para formar un dibujo repetido sobre toda la superficie.

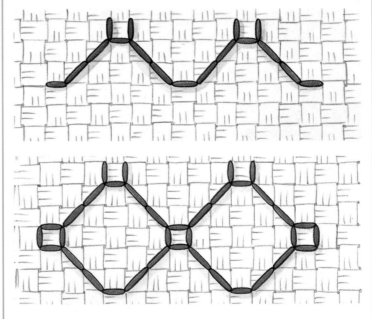

ESPIGA DE HOLBEIN
Borda la primera hilera con punto Holbein (página 31) y en ésta hilada (de derecha a izquierda) acaba todas las espigas hasta llegar al final y luego hacia atrás. A continuación, borda la siguiente puntada de izquierda a derecha para finalizar la hilera central.

Repite la puntada, como se indica a continuación.

ZURCIDO EN BLOQUES DE PUNTO LANZADO

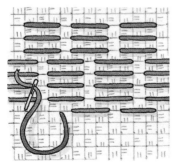

Empieza por la derecha. Borda la primera hilera con puntos lanzados (página 52) de derecha a izquierda y luego borda la segunda de izquierda a derecha. Sigue con la hilera hasta formar el diseño.

ZURCIDO JAPONÉS

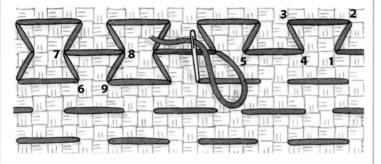

Este tipo de dibujo zurcido tiene forma de reloj de arena.

Empieza por la derecha. Borda primero todos los puntos horizontales colocados como se indica en la imagen, bordando el punto zurcido (página 52) hacia atrás y hacia delante como si se tratara de punto lanzado.

A continuación, añade los puntos inclinados para finalizar el dibujo. Empieza de nuevo por arriba y por la derecha. Saca la aguja por el número 1, métela en el 2, sácala por el 3 y métela en el 4. Repite el bordado desde la izquierda, empezando por el número 5. Borda la siguiente hilera de izquierda a derecha. Saca la aguja por el número 6, métela en el 7, sácala por el 8 y métela en el 9. Haz lo mismo hacia la derecha. Repite estas dos hileras para completar el dibujo según convenga.

ZURCIDO EN ZIGZAG

Empieza por la derecha. Primero borda todos los puntos horizontales como se indica en la imagen, creando hileras de punto zurcido (página 52) hacia delante y hacia atrás. Añade los puntos inclinados para finalizar el dibujo. Empieza de nuevo por arriba y por la derecha. Saca la aguja por el número 1, métela en el 2, sácala por el 3 y métela en el 4. Repítelo hacia la izquierda.

A continuación, borda de izquierda a derecha. Saca la aguja por el número 5, métela en el 6, sácala por el 7 y métela en el 8. Haz lo mismo hacia la derecha.

Repite estas dos hileras hasta completar el diseño.

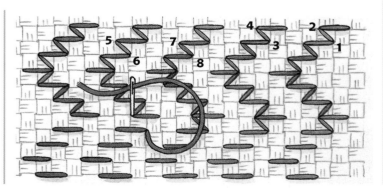

RELLENO DE CRUZ VERTICAL

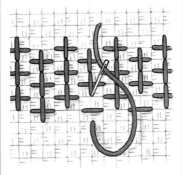

Empezando por arriba y por la derecha, borda la primera hilera a punto de cruz vertical (página 39) de derecha a izquierda y hacia atrás. A continuación, borda la siguiente hilera, colocando las cruces como se indica. Repite estas dos hileras según convenga.

RELLENO ARGELINO

Empezando por arriba y por la derecha, borda la primera hilera a punto argelino (página 52) de derecha a izquierda. A continuación, borda la segunda hilera de izquierda a derecha, como se muestra en la imagen. Borda siempre cada unidad de ocho puntos exactamente en el mismo orden. Repite estas dos hileras las veces que convenga.

FLORES DE PUNTO LANZADO

Cada unidad consta de cuatro bloques y cada bloque tiene tres puntos lanzados (página 51).

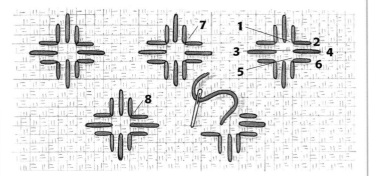

Empieza por arriba y por la derecha, a la derecha del bloque. Saca la aguja por el número 1 y métela en el 2. A continuación, borda dos puntos lanzados más, como muestra el dibujo en 3-4 y 5-6. Borda en el sentido de las agujas del reloj. Saca la aguja de nuevo por el número 5 para empezar el bloque inferior. Borda los dos bloques restantes del mismo modo, finalizando con el bloque superior. Pasa el hilo por el revés del bloque superior y sácalo por el número 7 para empezar el siguiente bloque a la izquierda. Repite lo mismo hacia la izquierda. Borda la segunda hilera de bloques de izquierda a derecha. Saca la aguja por el número 8 y borda todos los puntos de cada bloque exactamente en el mismo orden. Repite lo mismo hacia la derecha.

Repite estas dos hileras de bloques.

DIBUJOS BORDADOS CON COMBINACIONES DE PUNTOS

PUNTO DE ESTRELLA Y PUNTO HOLBEIN

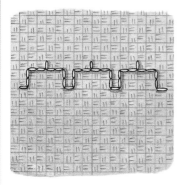

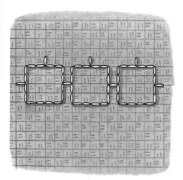

Empieza por la derecha y borda la primera hilera a punto Holbein (página 31) como se indica, de derecha a izquierda y hacia atrás. Borda una segunda hilera con el

punto Holbein para finalizar los cuadrados. Repite estas dos hileras para rellenar el área. Empieza de nuevo por arriba y por la derecha y borda un punto de estrella en cada cuadro, como en la muestra, bordando hacia atrás y hacia delante por hileras. Borda todos los puntos individuales de cada estrella de la labor en el mismo orden.

PUNTO DE CRUZ Y PUNTO DE CRUZ VERTICAL

Borda la primera hilera de derecha a izquierda. Saca la aguja por el número 1 y métela en el 2. A continuación, sácala por el número 3 y métela en el 4, formando un punto de cruz grande.

Saca luego la aguja por el número 5, métela en el 6, sácala por el 7 y métela en el 8, formando un pequeño punto de cruz vertical.

Repítelo hacia la izquierda, como se indica en la imagen.

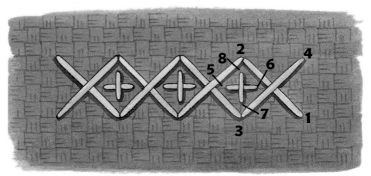

Borda la siguiente hilera de izquierda a derecha, bordando sólo puntos de cruz verticales. Repite estas dos hileras.

Para conseguir un dibujo menos tupido, sáltate la segunda hilera de puntos de cruz verticales y bórdala de manera que encaje con la primera, como se ve en la mitad inferior de la fotografía.

PESPUNTE Y PUNTO ARGELINO

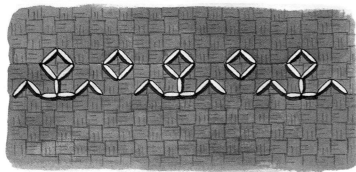

Empieza por la derecha y borda una hilera con pespunte (página 30) hacia la izquierda, como se muestra en la imagen.

Finaliza los dibujos con pespunte y borda un punto argelino en cada espacio, como se muestra. Para conseguir la variación de la mitad inferior de la imagen, alarga las diagonales de cada punto argelino como se muestra en la siguiente columna.

VARIACIÓN DEL PUNTO ARGELINO

Aquí se utilizan dos variaciones del punto argelino (página 52). El punto argelino de arriba a la izquierda tiene verticales y diagonales alargadas, mientras que el punto argelino siguiente sólo tiene diagonales alargadas. Borda la primera hilera de unidades de derecha a izquierda y la siguiente hilera de izquierda a derecha, siempre bordando los puntos de cada unidad en el mismo orden. Repite estas dos hileras según convenga.

ZURCIDO Y PUNTO DE CRUZ VERTICAL

Borda primero todas las hileras horizontales a punto zurcido (páginas 52-53), como se indica, para que formen un dibujo de hileras inclinadas. A continuación, añade los puntos de cruz verticales (página 35). Bórdalos en diagonal abajo y arriba. Empieza con la primera cruz (1-2) y (3-4) y a continuación saca la aguja en el número 5 para iniciar la siguiente cruz.

Recuerda que el hilo horizontal (no vertical) de estas cruces verticales es el hilo superior, que se corresponde con los puntos zurcidos horizontales. Si deseas conseguir un aspecto ligeramente distinto, utiliza el hilo vertical como hilo superior.

PUNTO HOLBEIN Y PUNTO DE CRUZ

Borda primero una hilera de dibujos a punto Holbein, empezando por la derecha. Cada unidad está compuesta de cuatro triángulos.

Saca la aguja por el número 1, métela en el 2, sácala por el 3 y métela de nuevo en el 1. A continuación, sácala por el número 2 y métela en el 3. Saca de nuevo la aguja por el

número 4 para empezar el siguiente triángulo. Borda los cuatro triángulos en el sentido de las agujas del reloj alrededor de la forma, acabando con el triángulo superior. Repite el dibujo hacia la izquierda como se ve en la imagen.

Borda una hilera a punto de cruz de izquierda a derecha, sacando la aguja por el número 1, metiéndola en el 2, sacándola por el 3 y metiéndola de nuevo en el 4. Repítelo hacia la derecha como en la imagen. Repite estas dos hileras las veces que convenga.

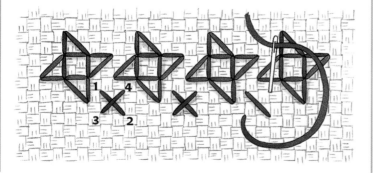

PUNTO LANZADO Y PESPUNTE

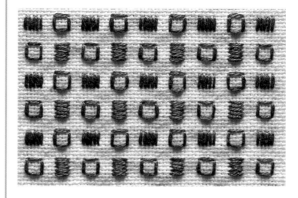

Empieza por la derecha. Saca la aguja por el número 1 y métela en

el 2, bordando un punto lanzado vertical individual (página 51). Repite este punto cuatro veces más, como en la imagen, formando un bloque de cinco puntos. Saca la aguja por el número 3, métela en el 4, sácala por el 5, métela en el 3, sácala por el 6, métela en el 5, sácala por el 4 y métela en el 6, bordando un cuadrado con pespunte. Saca la aguja de nuevo por el número 7 para empezar la siguiente puntada hacia la izquierda.

Borda la siguiente hilera de izquierda a derecha. Coloca un cuadrado por debajo de cada bloque y un bloque por debajo de cada cuadrado. Saca la aguja por el número 8, métela en el 9, sácala por el 10, métela en el 8, sácala por el 11, métela en el 10, sácala por el 9 y métela en el 11, para hacer un cuadrado con pespunte. Saca de nuevo la aguja por el número 12 y métela en el 13, bordando un punto lanzado horizontal. Repite

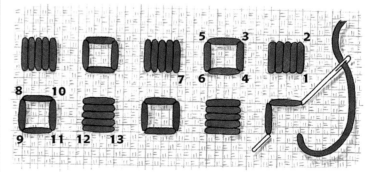

este punto cuatro veces más como se indica para finalizar el bloque. Repítelo hacia la derecha.

Repite estas dos hileras.

Punto Hardanger

Los puntos de esta sección normalmente se utilizan para la labor de Hardanger, descrita con más detalle en las páginas 82-84. En la labor de Hardanger se cortan y retiran algunos hilos de la tela, pero antes los hilos deben sujetarse con bloques de punto lanzado. A continuación, los hilos restantes pueden acordonarse o zurcirse en barras y los espacios abiertos entre dichos hilos pueden decorarse con distintos rellenos.

◄ **ANTIGUA MUESTRA TRADICIONAL Coats Crafts**
48 x 25 cm
Punto de cruz, pespunte, punto lanzado, barras zurcidas y punto de escapulario con algodón de bordar sobre tela Hardanger
Se repiten una serie de dibujos en tiras simples en forma de antigua muestra tradicional.

BLOQUES DE PUNTO LANZADO

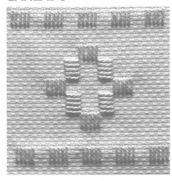

Un bloque de punto lanzado es un grupo de cinco puntos lanzados bordados en cuatro cuadrados sobre tela Hardanger. Los bloques pueden bordarse en hileras o en diagonal. La posición y dirección exacta de cada bloque de punto lanzado es de extrema importancia, porque los hilos sólo se pueden cortar por los extremos de los puntos lanzados y sólo donde hay otro bloque de punto lanzado justo al lado opuesto, de manera que los extremos de los hilos cortados quedan a cada lado del espacio. Normalmente se necesita un hilo bastante grueso (como el algodón perlé nº 5) para cubrir la tela y para esconder los extremos cuando se corta la tela. Es importante bordar los bloques en el orden correcto para que el hilo no se vea al pasar de un bloque a otro. Los extremos de los hilos deberían fijarse pasándolos por el revés de varios bloques.

Bordar bloques de punto lanzado en hileras

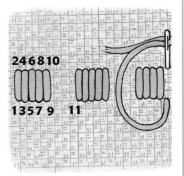

Fija el hilo por el lado izquierdo con varios pespuntes. Más tarde se descoserán y se sujetará el extremo del hilo (página 83). Saca la aguja por el 1 y métela en el 2, abarcando cuatro cuadrados de tela. Repite este punto cuatro veces más, del 3 al 4, del 5 al 6, del 7 al 8 y del 9 al 10. Saca la aguja de nuevo por el 11, a cuatro cuadrados del número 9, para empezar el siguiente bloque.

Bordar bloques de punto lanzado en diagonal

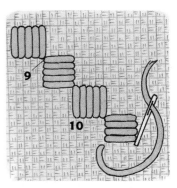

Empieza por arriba y por la izquierda y borda hacia abajo y hacia la derecha. Haz el primer bloque como se indicaba con anterioridad y saca la aguja por el número 9 para empezar el segundo bloque, que se borda horizontalmente, como se ve en la imagen.

Al final del segundo bloque, saca la aguja de nuevo cuatro hilos por debajo del punto lanzado anterior por el número 10, para empezar el siguiente bloque hacia abajo y hacia la derecha. Repite los bloques las veces que sea necesario, alternando la dirección de los bloques en diagonal.

BLOQUES DE PUNTO LANZADO CON DESHILADO

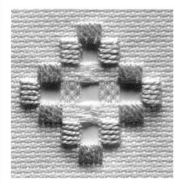

Después de bordar los bloques de punto lanzado alrededor de los bordes de una figura, algunos hilos de la tela pueden cortarse y retirarse como se muestra en la página 83. Los hilos de tela restantes pueden bordarse en forma de punto de cordón o punto de zurcido y los espacios cuadrados pueden rellenarse con algunos de los rellenos de las páginas 44-45.

PUNTO DE CORDÓN

Las barras se bordan a punto de cordón, formando un fardo con los hilos de tela verticales, después de haber retirado los horizontales.

Sujeta el extremo del hilo en el fardo de hilos que debe acordonarse y pasa la aguja por debajo del fardo de derecha a izquierda.

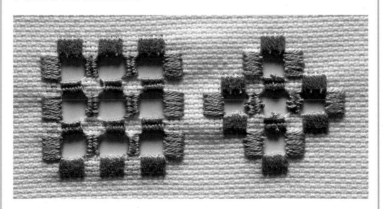

Repite la acción hasta que el fardo quede completamente acordonado. Después de las dos o tres primeras vueltas, tira del hilo con firmeza. Utiliza la punta de la aguja para colocar el hilo en su sitio, de manera que quede bien tupido. Cuando el fardo esté totalmente acordonado, tira suavemente del extremo del inicio y corta el hilo sobrante. La aguja puede pasarse al siguiente fajo en diagonal y hacia la derecha, como se ve, para hacer lo mismo. Para fijar el hilo, pasa la aguja por detrás del punto de cordón.

PUNTO DE ZURCIDO

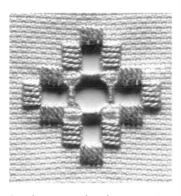

Para conseguir un efecto distinto, los fajos de los hilos de tela también pueden bordarse con punto de zurcido, con o sin picos (página 44).

Punto de zurcido básico

Sujeta el extremo del hilo con el fardo que se debe zurcir y pasa la aguja por debajo de la mitad derecha del fardo de derecha a izquierda.

A continuación, pasa la aguja por debajo de la mitad izquierda del fardo de izquierda a derecha, metiendo el extremo del hilo.

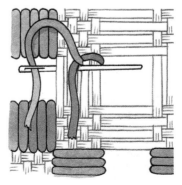

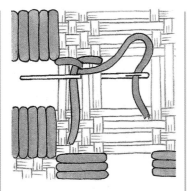

Repite estos dos pasos hasta llegar al final de la barra.

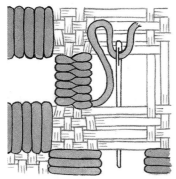

Utiliza la punta de la aguja para colocar el hilo en su lugar. Los puntos deberían estar bastantes juntos para que el fardo quede bien tupido. A continuación, puedes pasar la aguja al siguiente fardo hacia abajo y a la derecha, como con el punto de cordón. Tira suavemente del extremo de inicio para tensar el primer punto y para cortar el hilo sobrante. Para fijar el hilo, pasa la aguja por detrás de la barra y corta el hilo sobrante.

Punto de zurcido con picos

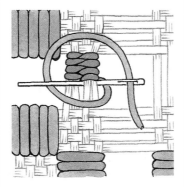

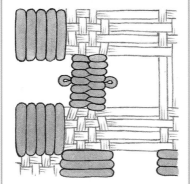

Borda hasta la mitad de la barra como se muestra en la imagen superior y pasa la aguja por debajo de la mitad derecha del fardo y haz una presilla con la aguja como se indica. Tira del hilo para formar un pico.

Haz otro pico al otro lado de la barra del mismo modo y, a continuación, sigue bordando hasta el final del fardo.

RELLENO CON PUNTO DE ESPÍRITU

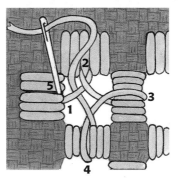

Saca la aguja por el número 1. En el bloque de punto lanzado, pasa la aguja por debajo del punto central (como se indica en el número 2). En una barra acordonada, pasa la aguja alrededor de la barra, como se muestra en el número 3. Para hacer una barra zurcida, mete la aguja en el centro de la barra. Saca la aguja por encima de la presilla anterior y repite lo mismo en los números 3 y 4. Pasa la aguja por debajo de la primera presilla, métela en el número 5 y a continuación por detrás de los puntos hasta el siguiente punto.

◀ **SAQUITO DE LAVANDA Coats Crafts**
16 x 16 cm
Punto de cruz, pespunte, punto de zurcido y relleno de punto de rueda con hilo Mouliné y algodón perlé sobre tela Hardanger Gracias a los puntos utilizados, el saquito tiene forma de corazón.

A PUNTO DE RUEDA

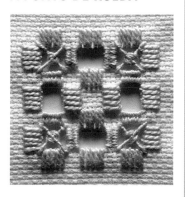

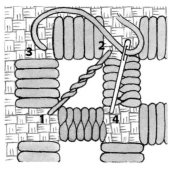

Para este relleno, saca la aguja por la tela por el número 1 y métela en el 2, en la esquina contraria. Tira del hilo con firmeza. Saca la aguja de debajo de la tela y pásala alrededor del primer punto varias veces, acordonándolo y volviendo al número 1. Mete la aguja en el número 1 y pásala por detrás de los puntos hasta el número 3. Sácala por la tela por el número 3 y métela en el 4, bordando otro punto firme.

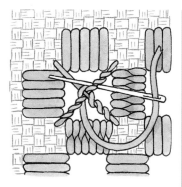

Acordona este punto hasta el centro y pasa la aguja por debajo y por encima de los «radios» hasta conseguir el tamaño deseado de la espiral central, acabando con un único hilo en dirección al número 3. Acordona el hilo restante hasta el número 3 y mete la aguja allí. La aguja puede pasarse por detrás de los puntos hasta conseguir la posición deseada para el siguiente punto.

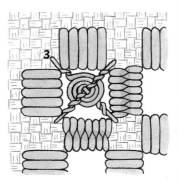

RELLENO CON PUNTO DE ESPÍRITU OBLICUO

Los lados del cuadrado pueden lindar con los bloques a punto lanzado, a punto de cordón o a punto de zurcido.

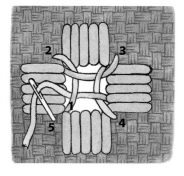

Saca la aguja por debajo de la tela por el número 1. Mete la aguja en el número 2 y sácala por abajo por la presilla del hilo. Repítelo en los números 3 y 4. Pasa la aguja por debajo de la primera presilla, como se muestra, y métela en el número 5 a través de la tela. La aguja puede pasarse por detrás de los puntos hasta conseguir la posición necesaria para el siguiente punto.

ABECEDARIOS

Las letras se pueden utilizar para personalizar los bordados con iniciales, nombres, fechas, una muletilla, una cita o incluso un poema. En esta sección se incluyen algunos ejemplos de abecedarios con distintos estilos.

ABECEDARIO 1

Este abecedario se borda en su totalidad a punto de cruz (página 26). Las letras más grandes y mayúsculas tienen una altura de diez cuadrados, por lo que en una tela 14 medirán en torno a 19 mm y en una tela 18 un poco más de 13 mm.

ABECEDARIO 2

Este abecedario se borda con pespunte (página 30) o punto de Holbein (página 31) y con nudos franceses (página 50) para los puntos de la «i» y «j» minúsculas. Las mayúsculas necesitan seis cuadrados, por lo que en tela 14 medirán en torno a 13 mm y en tela 18 unos 9 mm.

CONSEJOS

• *Para añadir letras a un gráfico, copia las letras que necesitas en un papel cuadriculado y cuenta el número de cuadrados necesarios para bordar toda la palabra. A continuación, puedes centrar las letras o colocarlas donde desees.*

• *Para un acabado bien presentado, no pases el hilo por el revés de una letra a otra. Corta el hilo y empieza la siguiente letra con un hilo nuevo.*

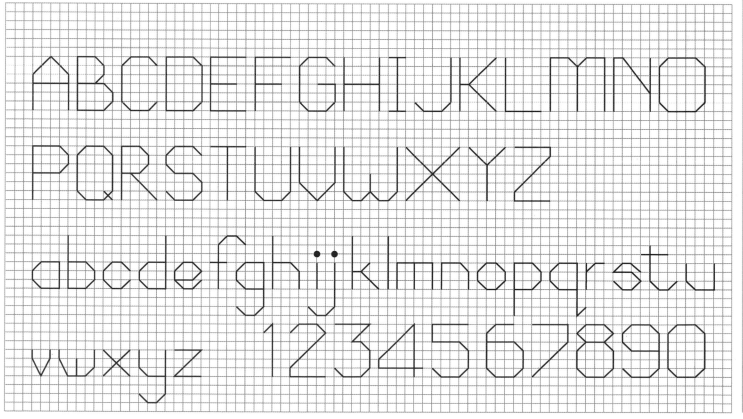

ABECEDARIO 3

En este caso, las letras se bordan con pespunte (página 30) o punto Holbein (página 31), y a punto de cruz (página 26) y un cuarto de punto de cruz (página 28) para rellenar las partes más anchas. Para variar, podrías prescindir del punto de cruz y del cuarto de punto de cruz y bordar sólo el contorno.

   La altura máxima de las letras es de ocho cuadrados, por lo que medirán un poco más de 13 mm en tela de 14 cuentas y un poco menos de 13 mm en tela de 18.

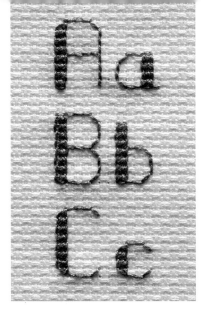

ABECEDARIO 4

Algunos de los tipos de letras más decorativos pueden aplicarse sólo a las mayúsculas. Este abecedario proviene de las letras suecas tradicionales utilizadas para bordar iniciales en la mantelería y otros artículos del hogar.

Todas las letras menos la «q» necesitan una altura de 13 cuadrados, por lo que en tela 14 mediarán casi 25 mm y en tela 18 un poco más de 17 mm.

Otros puntos de utilidad

Los puntos de esta sección se pueden utilizar para añadir detalles y para perfilar o ribetear varios tipos de bordado a punto contado.

NUDOS FRANCESES

A menudo, el nudo francés utilizado individualmente representa un ojo en un dibujo. También se utiliza en forma de punto de algunas letras como la «i» o la «j» o como punto final. Los nudos franceses utilizados en grupo pueden representar florecillas. Algunos diseños a partir de gráficos pueden interpretarse total o parcialmente con nudos franceses de distintos colores, para conseguir un efecto tupido atrevido.

Saca la aguja por el número 1 y enrolla el hilo dos veces alrededor de la punta de la aguja como se muestra en el dibujo.

Mantén el hilo tenso con los dedos y mete la aguja en el número 2, a poca distancia. Mantén el hilo tenso al pasar la aguja por el revés de la labor. El nudo francés se formará en el número 2.

CONSEJOS

- *Para hacer nudos franceses más grandes, no enrolles el hilo más de dos veces alrededor de la punta de la aguja, ya que dificulta la formación de los nudos. Para que quede mejor, utiliza un hilo más grueso (o más hebras, en caso de utilizar hilo Mouliné).*
- *Si quieres que el nudo esté en el centro de un cuadrado Aida, saca la aguja por un agujero como se ve en el dibujo y métela en el centro del cuadrado.*
- *Si quieres que el nudo esté en un agujero, saca la aguja por el centro de un cuadrado y métela en el agujero. Si el nudo desaparece por el agujero, utiliza un hilo más grueso.*
- *Si trabajas sobre tela de trama uniforme, los puntos 1 y 2 normalmente deben tener una distancia de un hilo o intersección.*

PUNTO LANZADO

Si se borda de forma correcta, el punto lanzado cubre totalmente la tela y la tela no se aprecia entre los puntos, por lo que normalmente se necesita un hilo bastante grueso. En la labor en negro el punto lanzado se utiliza normalmente en algunas zonas pequeñas para los detalles. Los bloques de punto lanzado (página 42) son la base de la labor de Hardanger.

En el bordado a punto contado, los puntos lanzados normalmente se trabajan en vertical, horizontal o diagonal.

Bordar punto lanzado en vertical

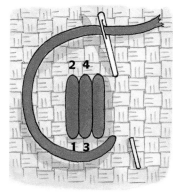

Empieza por la izquierda. Saca la aguja por el número 1 y métela en el 2. Sácala por el número 3 y métela en el 4. Repítelo hacia la derecha.

Bordar punto lanzado en diagonal

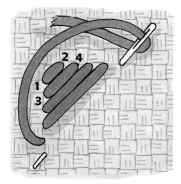

Empieza por arriba y por la izquierda. Saca la aguja por el número 1 y métela en el 2. Sácala por el número 3 y métela en el 4. Repítelo hacia abajo y hacia la derecha.

▼ VISTA MARINA
Betty Barnden

30 x 20 cm
Punto lanzado con lanas para tapicería sobre cañamazo
Se pueden utilizar puntos lanzados más o menos largos para hacer un dibujo. Esta técnica también es útil para rellenar el fondo de un dibujo a punto de cruz

PUNTO ARGELINO

Con este punto decorativo se forma una estrella cuyo agujero central se puede pronunciar más tirando firmemente de los hilos para que se abra. El punto argelino puede utilizarse individualmente, como dibujo repetido en un ribete o como relleno de la labor en negro (páginas 36-41).

Saca la aguja por el número 1 y métela en el 2 (el centro del punto). Saca la aguja por el número 3 y métela de nuevo en el 2. Sácala por los números 4, 5, 6, 7, 8 y 9 y vuélvela a meter siempre en el 2.

Si deseas bordar un dibujo que se repite, los ocho puntos de cada unidad deberían bordarse exactamente en el mismo orden para mantener un aspecto uniforme.

PUNTO ZURCIDO Y VARIACIONES

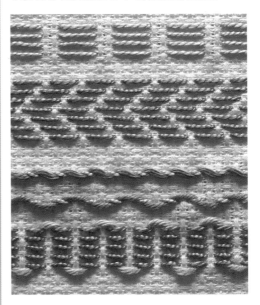

Este punto tan sencillo puede utilizarse de varias maneras. Las hileras de punto zurcido pueden utilizarse para el relleno de la labor en negro (páginas 36-41). Además, se pueden decorar varias hileras de punto zurcido con otro hilo para formar dibujos decorativos en los ribetes.

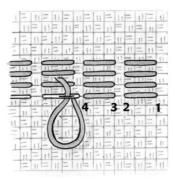

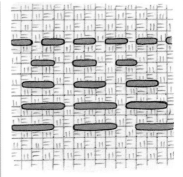

Borda de derecha a izquierda. Saca la aguja por el número 1 y métela en el 2; a continuación, sácala por el número 3 y métela en el 4. Repítelo hacia la izquierda.

Borda varias hileras, gira la labor al principio de cada hilera y borda de nuevo de derecha a izquierda.

La longitud de los puntos y la distancia entre ellos puede variar según convenga, pero los puntos visibles en la superficie normalmente son más largos que la distancia que los separa.

Los puntos pueden disponerse en forma de simples dibujos, como se muestra en la imagen y en las páginas 37 y 40.

Punto zurcido entrelazado

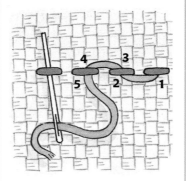

Zurcido entrelazado cruzado

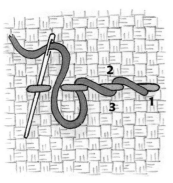

PUNTO DE FESTÓN

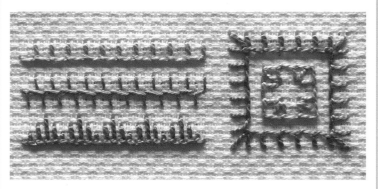

Primero borda una hilera de punto zurcido. Enhebra un hilo en una aguja roma y pásala por la tela por el número 1. Sin pinchar la tela, pasa la aguja hacia arriba por el número 2 hacia el 3 por debajo del segundo punto zurcido y, a continuación, hacia abajo por el número 4 hacia el 5 por debajo del tercer punto zurcido. Repítelo hacia la izquierda. Finaliza la hilera metiendo la aguja por la tela en el centro del último punto, ya sea por arriba o por abajo.

Se pueden entrelazar varias hileras de puntos zurcidos paralelos de esta manera, como se indica en la imagen de la página opuesta.

Borda primero una hilera de punto zurcido. Enhebra otro hilo en una aguja roma y pásala por la tela por el número 1. A continuación, pasa la aguja del número 2 al 3 por debajo del siguiente punto zurcido, sin pinchar la tela. Repítelo hacia la izquierda. Finaliza la hilera metiendo la aguja por la tela en el centro del último punto por arriba.

El punto de festón puede bordarse formando una única hilera para decorar o combinando varias hileras de distintas proporciones para formar dibujos en un ribete. En las esquinas de los ribetes, los puntos se pueden bordar en forma de abanico.

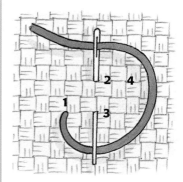

Borda de izquierda a derecha para que se forme una hilera en la parte inferior. Saca la aguja por el número 1 y métela en el 2. Luego, sácala de nuevo por el número 3, por dentro de la presilla, como se indica. Tira del hilo y mete la aguja en el número 4 para hacer lo mismo hacia la derecha.

Al final de la hilera de festón, tira de la presilla hacia abajo con un punto pequeño.

Como se ve en la imagen, puedes bordar dos hileras de punto de festón, una hacia arriba y otra hacia abajo, para formar una hilera con «púas» a ambos lados. También puedes formar una hilera a punto de festón en la que el tamaño de los puntos sea distinto. Los ribetes pueden bordarse en una hilera hacia dentro o hacia fuera para crear diferentes efectos en las esquinas.

PUNTO DE TALLO

El punto de tallo se utiliza a menudo para perfilar. Cuando se borda con Aida o esterilla, las hileras pueden ser horizontales, verticales o inclinadas, pero deberían ser siempre rectas.

A veces, el punto de tallo se borda sin contar puntos, como si se estuviera perfilando una labor en negro. En este caso, debería utilizarse una aguja de coser y las hileras pueden ser curvas.

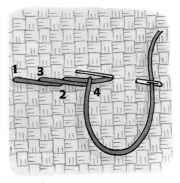

Borda de izquierda a derecha. Saca la aguja por el número 1 y métela en el 2. Sácala por el número 3, por encima del punto anterior, y métela en el 4. Sácala de nuevo por el número 2, por encima del punto anterior, para empezar de nuevo y bordar hacia la derecha.

La longitud de los puntos puede variar según convenga, pero debería ser siempre la misma.

Al bordar sin contar puntos, utiliza una aguja de coser afilada para poder marcar la hilera con una serie de puntos espaciados de forma regular. Para las líneas curvas, haz puntadas pequeñas.

PUNTO DE CADENETA

Este punto se puede bordar en líneas rectas (horizontales, verticales o en diagonal) y a menudo se utiliza para decorar los ribetes de la tela.

También se puede bordar sin contar puntos, como para perfilar una labor en negro, y también para formar líneas curvas.

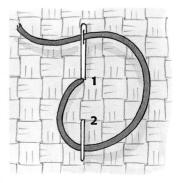

Borda de arriba a abajo. Saca la aguja por el número 1. Forma una presilla con el hilo, como se indica, mete la aguja de nuevo en el número 1 y sácala por el 2, dentro de la presilla. Tira con suavidad.

Repítelo hacia abajo, siempre metiendo la aguja dentro de la presilla anterior.

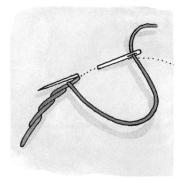

Al final de la hilera, fija la última presilla hacia abajo como se muestra.

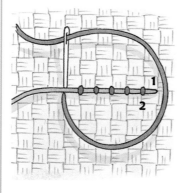

Si bordas sin contar puntos, utiliza una aguja afilada para poder marcar la hilera con una serie de puntos espaciados de forma regular.

LÍNEA DE REALCE SIMPLE

Los hilos decorativos que son demasiado pesados para pasarlos por la tela pueden bordarse con esta técnica. Esta técnica también se utiliza para perfilar una labor en negro, si las hileras son curvas sin contar puntos.

El hilo grueso a realzar se llama «hilo tendido» (se tiende sobre la tela) y el segundo hilo más fino se llama «hilo de sujeción» o «de realce».

Borda de derecha a izquierda. Con una aguja grande, saca el hilo tendido por el número 1 (necesitarás un agujero grande en la tela para poder hacerlo con facilidad). Saca el hilo de sujeción por el número 2, pásalo por encima del hilo tendido y vuelve a meterlo en el mismo número 2. Repítelo hacia la izquierda. Al final de la hilera, deja el hilo de sujeción y la aguja colgando por el revés de la labor. Utiliza una aguja grande para sacar el hilo tendido por el revés de la labor. Dóblalo por el revés de la labor sobre la hilera de puntos y usa el hilo de sujeción para sujetarlo por el revés de los puntos unos 25 mm antes de cortarlo.

Al bordar líneas curvas, utiliza una aguja afilada. Los puntos de sujeción normalmente se bordan en ángulo recto con respecto al hilo tendido, pero también pueden bordarse con otro ángulo si se desea. No hace falta que pasen por el mismo agujero; pueden ser un poco más grandes. Se recomienda marcar la hilera con una serie de puntos espaciados de forma regular.

Para las esquinas pronunciadas, separa los puntos de sujeción de tal manera que tengas que bordar un punto justo en la esquina para sujetarla donde deseas.

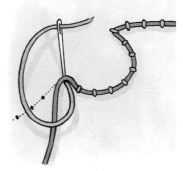

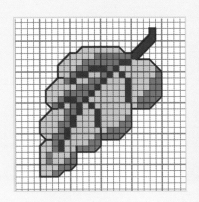

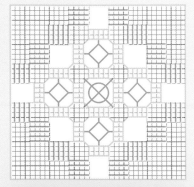

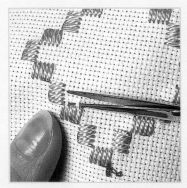

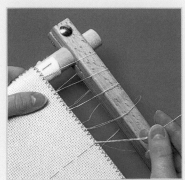

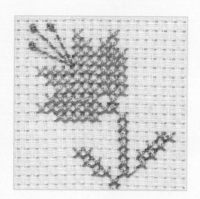

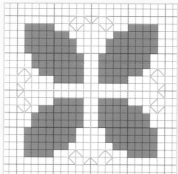

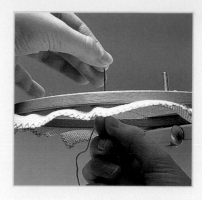

Manos a la obra

Aquí encontrarás toda la información que necesitas para empezar a bordar, desde una serie de normas generales con las que podrás preparar y elegir el material que necesitas, hasta cómo planchar y fijar el trabajo acabado.

Todas las técnicas a punto de cruz, labor de Asís, labor en negro y Hardanger se describen detalladamente, así como varios tipos de diseños que se repiten.

Al final de esta sección encontrarás ideas para adaptar los diseños de distintas maneras, utilizando materiales poco comunes y bordados diferentes.

Normas generales

Algunas técnicas son comunes a todos los tipos de tela tramada para bordar. En esta sección encontrarás la información que necesitas para preparar la tela o el cañamazo correctamente, elegir las agujas y el hilo adecuados, empezar y terminar el punto con claridad, y planchar o tensar la pieza acabada.

PREPARAR TELA Y CAÑAMAZO

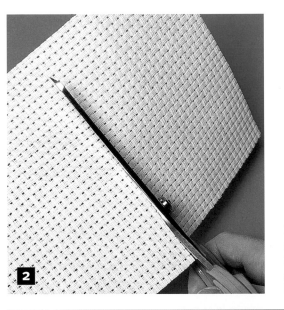

2 Corta siempre en línea recta siguiendo los agujeros.

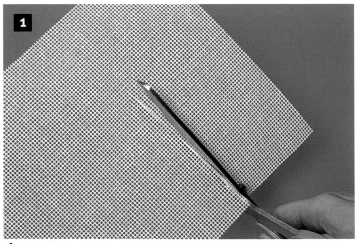

1 Cuando cortes la tela o el cañamazo, deja que sobren al menos 2,5 cm más sobre el tamaño requerido en todos los lados. Si lo vas a colocar en un bastidor cuadrado o redondo, necesitarás un tamaño aún mayor.

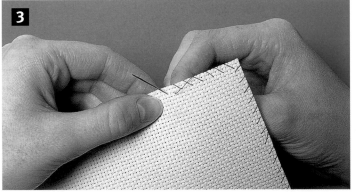

3 Los bordes vírgenes de la tela o el cañamazo tenderán a deshilacharse a menos que hagas algo para evitarlo. Los bordes del cañamazo deshilachados suelen engancharse en los hilos del bordado y lo acaban estropeando. Hay varias formas de prevenir que los bordes se deshilachen: una de ellas es sobrehilarlos con un hilo corriente de seda.

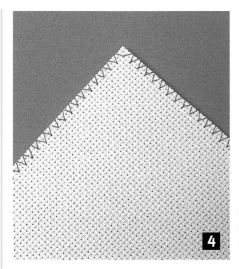

4 Como alternativa, puedes dar unas puntadas en zigzag en una máquina de coser.

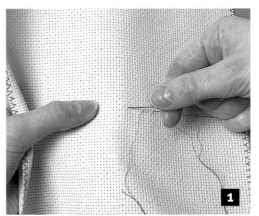

MARCA LAS LÍNEAS DE CENTRO
Si trabajas a partir de un gráfico, necesitarás marcar la tela o el cañamazo con líneas que te indiquen las coincidencias con el gráfico, para que los puntos sean correctos.

1 Dobla la tela por la mitad a lo largo de una línea recta de agujeros. Enhebra una pequeña aguja de coser con un hilo corriente de seda y haz una línea de hilván a lo largo de la doblez, siguiendo los agujeros.

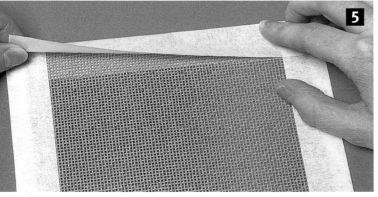

5 Otra opción es cubrir los bordes con una cinta de papel adhesivo.

2 Repite esta operación doblando la tela del otro lado. Donde los dos hilos se crucen se hallará el centro de la tela.

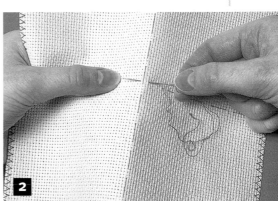

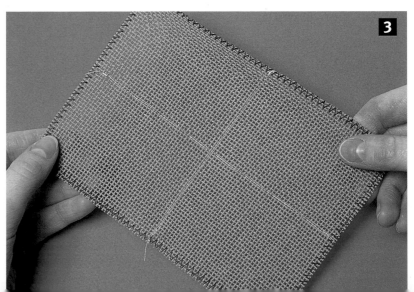

3 En el cañamazo, encontraremos el centro de la misma manera.

BASTIDORES PARA ESTIRAR LA TELA

Como norma, debe usarse un bastidor redondo (página 21) para cualquier diseño que encaje dentro por completo, para que el aro no tenga que desplazarse sobre partes hechas del bordado. Es aconsejable un bastidor de listones o deslizante (página 22) para telas más grandes: el ancho de la tela debe caber dentro del marco, pero si es demasiado largo puede resultar dañado por los rodillos. Para cañamazos más duros y menos flexibles es más aconsejable un bastidor deslizante que uno redondo.

1 Plancha el material sobre una superficie plana. Pon la plancha a la temperatura aconsejada (medio caliente para algodón, caliente para lino) para asegurarte de que eliminas todas las arrugas. Puedes usar algo de vapor suave en Aida u otra tela tramada. El cañamazo pocas veces necesita plancha, pero si lo haces, no uses vapor, pues podría ablandarse y extenderse.

CONSEJO

Para proteger telas delicadas, pon dos o tres capas de papel de seda a cada lado de la misma. Coloca el aro de la forma habitual y rasga el papel en el centro, por arriba y por debajo de la tela, para descubrir el área de trabajo.

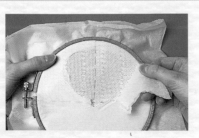

Estirar en el bastidor redondo

2 Primero ajusta el tamaño del aro exterior para fijarlo bien sobre el anillo interior. Pon el aro interior sobre una superficie plana. Coloca la tela sobre éste y a continuación pon el aro exterior en posición, aflojándolo un poco si es necesario.

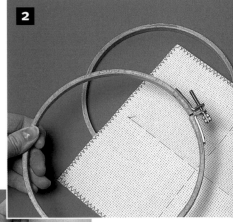

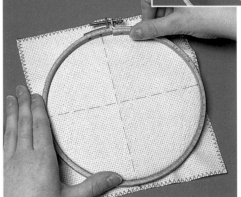

Hemos de procurar que la tela quede bien ajustada, asegurándonos de que se ciña al bastidor. Para evitar daños, no tenses el anillo exterior con la tela colocada.

3 Para soltar la tela, sólo tienes que apretar sobre el aro interior con ambos pulgares. Conviene quitar el trabajo del aro siempre que se vaya a dejar más de una hora, porque de otro modo puede ser difícil de separar.

Ajustar el material en un bastidor de listones

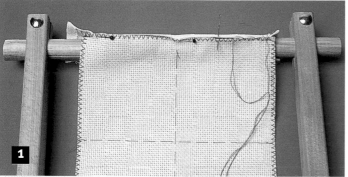

3 Enrosca los rodillos de forma que el área de trabajo quede centrada y luego ajusta los fijadores a los rodillos para que queden sujetos en esa posición.

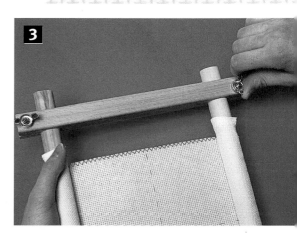

4 Para piezas grandes, es aconsejable atar los bordes de la tela a los lados del marco. Si hace falta, los lados de la tela pueden ser reforzados con tiras de cinta de algodón. Usa hilos fuertes y una aguja de bordar. Si el área de trabajo es más grande que el marco, será necesario empezar con un extremo del diseño, abrir el encaje, recolocar la tela, ajustar los rodillos y volver a atar los bordes en su nueva posición.

Ahora, la tela está preparada para empezar a bordar.

1 Marca el centro de la cinta en cada rodillo. Prende con alfileres los lados opuestos de la tela o el cañamazo a la tela de los rodillos, haciendo coincidir la línea de centro con el centro de los rodillos.

2 Usa una aguja afilada e hilo de seda para hilvanar la tela a las cintas. Para las piezas grandes, trabaja desde el centro a cada uno de los lados por turnos.

ELEGIR AGUJA E HILO

Para la mayoría de telas tramadas necesitarás una aguja de bordar (página 21) con una punta sin filo para deslizar a través de los agujeros de la tela. Elige el tamaño más pequeño por el que pueda pasar con facilidad el hilo.

Aquí tienes una guía:

hilo de algodón	algodón perlé	hilo persa	tamaño de la aguja
1 o 2 hebras	nº 12		26
3 hebras	nº 8		24
4 hebras		1 hebra	22
6 hebras	nº 5	2 hebras	20
	nº 3	3 hebras	18
		(= lana de bordar)	

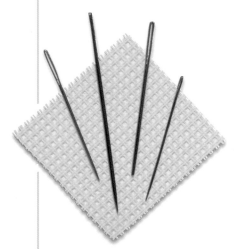

Elige el grosor correcto de hilo para lograr una buena cubrición de la tela, sobre todo cuando trabajes con cañamazo. Usar un hilo demasiado delgado podría dejar huecos y una superficie irregular. Un hilo demasiado grueso dejaría una superficie grumosa y dificultaría el bordado. Haz pequeños cuadrados en los bordes del área de trabajo, o haz pruebas en una pieza aparte, para saber exactamente los materiales que tienes que usar.

Hilo demasiado delgado

Hilo demasiado grueso

Enhebrar la aguja

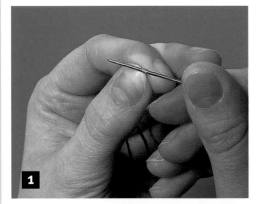

1 No trabajes nunca con hilos más largos de 45 cm. Corta un trozo del primer color y separa las hebras si es necesario. Dobla un extremo sobre la aguja y ténsalo bien.

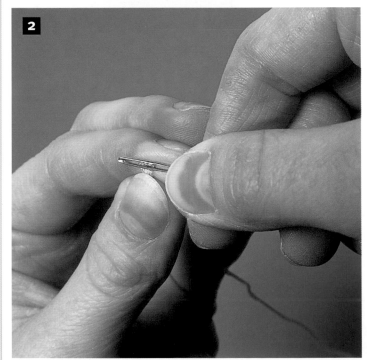

2 Retira la aguja y desliza la doblez del hilo a través del ojo de la misma.

EMPEZAR A BORDAR

Empieza a bordar cerca del centro del diseño, donde las líneas de centro se cruzan, así no te equivocarás al contar. Decide en que área empezarás a bordar.

Empieza con un nudo perdido

1 Haz un nudo al final del hilo y pasa la aguja a través de la tela a unos 25 mm de donde darás la primera puntada, de modo que el hilo se extienda por debajo a lo largo de unos pocos puntos. Saca la aguja por arriba otra vez para dar el primer punto.

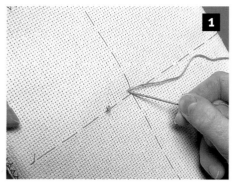

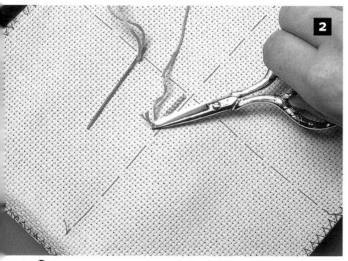

2 Haz unos cuantos puntos hacia el nudo, ocultando el hilo con las puntadas por detrás, y luego corta el nudo.

Rematar un hilo

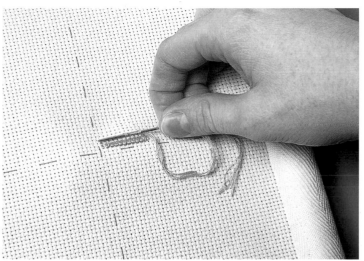

Pasa la aguja por detrás de varios puntos (del mismo color) en el lado posterior del trabajo, y luego corta el exceso de hilo. No dejes nunca puntas de hilo colgando por detrás del trabajo, así evitarás problemas cuando continúes bordando.

Empezar con otro color

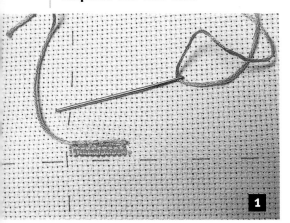

1 Una vez hayas completado una parte del bordado, puedes empezar de nuevo con otro hilo, pasando la aguja por detrás a través de varias puntadas hasta la posición requerida.

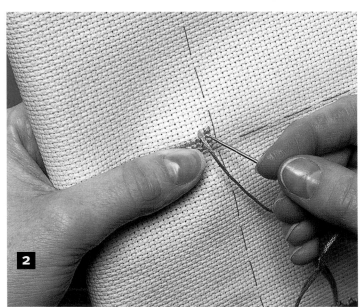

2 Lleva la aguja al derecho del bordado, y sujeta la tela entre los dedos con el pulgar por encima mientras haces el primer par de puntos.

Hacer los puntos con el método de «pinchar»

1 Conviene usar este método cuando se trabaja con un bastidor redondo o cuadrado. Coloca la punta de la aguja por detrás de la tela hasta encontrar el agujero correcto. Pasa la aguja a través de la tela y tira del hilo a su través hasta que pase del todo.

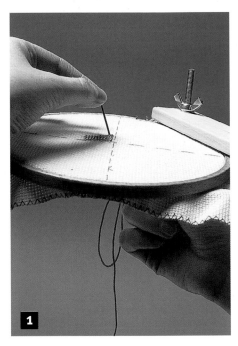

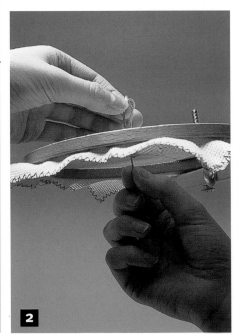

2 Dale la vuelta a la aguja, hazla pasar por donde le corresponde y tira del hilo a su través completamente. La aguja ha de pasar verticalmente a través de la superficie de la tela.

3 Este método puede parecer lento, pero nos dará un resultado limpio y seguro. Un aro o un marco colocados en un bastidor nos dejará las manos libres y con un poco de práctica podrás aprender a usar una mano por debajo del bordado (la mano derecha, si no eres zurdo), y la otra por encima, y de ese modo bordarás mucho más deprisa.

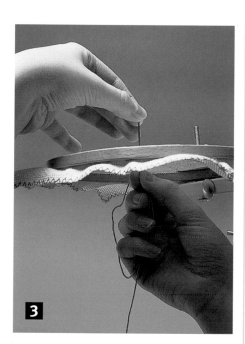

CONSEJOS

- *Trata de mantener los hilos sin retorcer cuando bordes: a veces es necesario girar la aguja entre los dedos y echar un vistazo cada tantos puntos para mantener el hilo liso y sin tensar.*
- *Trata de planificar la dirección del bordado de manera que la aguja ascienda a través de agujeros vacíos y baje a través de agujeros que ya contengan hilo. A veces es imposible hacerlo, así que donde tengas que subir la aguja a través de un agujero «ocupado», ten cuidado de no descoser los hilos.*

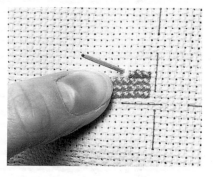

Dar los puntos por el método «costura» sin tambor

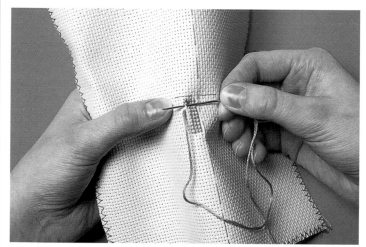

Si bajas y subes la aguja en un solo movimiento, los puntos tenderán a ser menos cuidadosos y el hilo se deshilachará con más rapidez en cañamazo. Sin embargo, para algunos casos, (como el punto de tallo [página 54], usado para labor en negro), este método dará una línea más fluida.

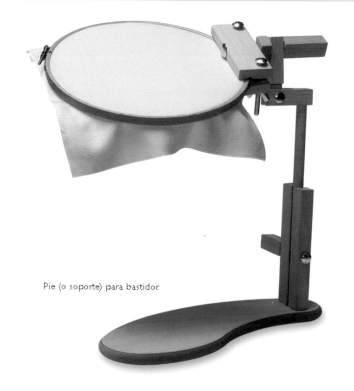

Pie (o soporte) para bastidor.

ERRORES HABITUALES
Deshacer unos cuantos puntos

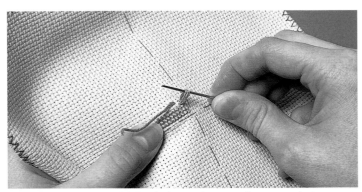

Simplemente, saca el hilo de la aguja y usa la punta de la misma para deshacer los puntos hasta el último punto correcto. Es probable que el hilo se deshilache, así que es mejor sacarlo todo y empezar de nuevo con otra hebra.

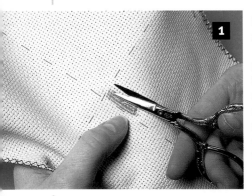

Cómo deshacer un grupo de puntos
1 Usa unas tijeras pequeñas para cortar con cuidado a través de los puntos por detrás de la labor. Deshaz unos cuantos al final con la aguja de modo que te quedes con una punta para poder tirar.

2 Saca todas las puntas de los hilos con unas pinzas.

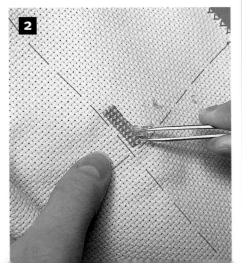

PLANCHADO Y FIJACIÓN

Cuando el trabajo esté completo, aparta la tela del bastidor redondo o cuadrado y descose los hilvanes de las líneas de centro.

Muchos tipos de bordado requieren sólo plancharlos al acabarlos. El trabajo con cañamazo, es probable que requiera fijación, sobre todo cuando se ha utilizado un punto en diagonal como el punto gobelino (página 29) o el medio punto de cruz (página 28). Ante la duda, plancha el trabajo primero; si no lo puedes extender y aplanarlo, fíjalo.

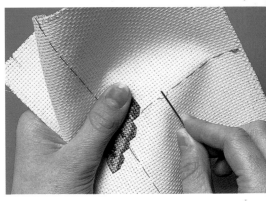

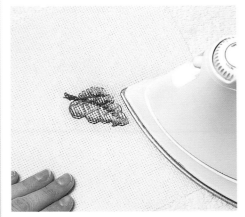

Planchado
Extiende la labor boca abajo sobre una superficie acolchada, por ejemplo, tres o cuatro capas de una toalla doblada. Calienta la plancha hasta un punto aceptable tanto para la tela como para el hilo; en el caso de haber utilizado varios tipos de costura, elige el más delicado. Puede que necesites un poco de vapor o de humedad para el planchado. Plancha sólo la parte posterior de la labor.

CONSEJO *No descosas nunca los hilos de las líneas de centro cuando estés bordando sobre ellas, pues esto haría más difícil quitarlas.*

Fijación

Para esto necesitarás una tabla para fijar (página 23), lo bastante grande para extender la labor por entero, y un buen acopio de agujas de cabeza redonda.

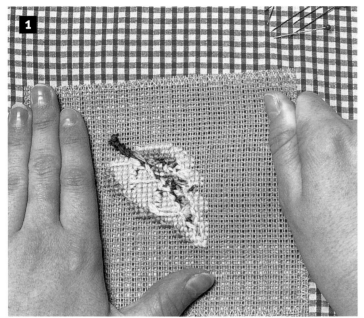

1 Humedece la labor cuidadosamente por el lado inferior con una esponja y agua tibia, y luego extiéndela boca abajo sobre la tabla de fijar. Dale unos golpecitos y extiende la tela con cuidado para que tome forma. Usa el diseño de la tabla como guía.

2 Inserta una aguja en el centro de cada lado, y luego inserta más a intervalos de 25 mm, yendo hacia las esquinas.

3 Deja la tabla plana hasta que la labor esté seca del todo.

CONSEJO *Algunas labores muy distorsionadas pueden requerir ponerse dos o tres veces sobre la tabla para que queden planas del todo.*

Punto de cruz a partir de un gráfico

Este es el tipo más popular

de bordado con telas tramadas, y puede que algunos lo hayan elegido ya, pero leer esta sección te ayudará a hacerlo más fácil todavía. El punto de cruz a partir de un gráfico se hace normalmente con Aida u otra tela tramada como lino; en lino, las cruces se suelen hacer sobre dos hilos en cada dirección. Dependiendo de las cuentas, podemos elegir varios tipos de hilo. Los más populares son las hebras de algodón.

Sigue las pautas generales de las páginas 58 a 67. No siempre es necesario usar un aro o un marco, depende de la firmeza de la tela y de lo ceñido del punto. Sin embargo, el resultado tendrá más calidad si la tela está tensada sobre un bastidor, y requerirá menos fijación o planchado.

LEYENDO EL GRÁFICO

Una gráfica puede estar impreso en color, o los hilos de colores pueden estar representados por símbolos situados en los cuadros. Cada cuadro de la tela coloreado, o cada cuadro con un símbolo, representa un punto de cruz hecho sobre un cuadro de tela tipo Aida, o un punto de cruz hecho sobre dos hilos de lino en cada dirección, o un punto de cruz hecho sobre una intersección de cañamazo.

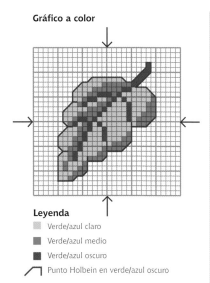
Gráfico a color

Leyenda
- ▨ Verde/azul claro
- ▨ Verde/azul medio
- ■ Verde/azul oscuro
- ⌐ Punto Holbein en verde/azul oscuro

Gráfico con símbolos

Leyenda
- O Verde/azul claro
- + Verde/azul medio
- ■ Verde/azul oscuro
- ⌐ Punto Holbein en verde/azul oscuro

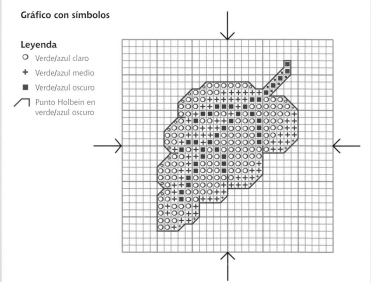

Un punto de cruz en Aida, en tramado tipo lino y en cañamazo

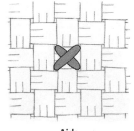
Aida

Lino

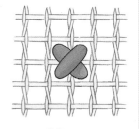
Cañamazo

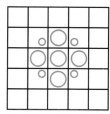 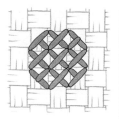

Gráfico a color   Gráfico con símbolos   Puntos mostrados en Aida

Los puntos parciales (tres cuartos y un cuarto de cruz, página 28) son indicados normalmente por un cuadro coloreado en una esquina, o por un pequeño símbolo en la esquina de un cuadro.

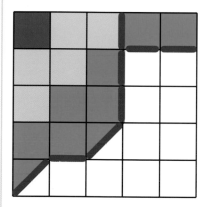

Los puntos lineales de contorno y los destacados (en puntos Holbein o pespuntes) se muestran como líneas rectas que pueden seguir los lados de los cuadros o cruzar los cuadros en diagonal. También pueden mostrarse encima de un cuadro con otro color.

Detalle de un gráfico a color que muestra los puntos lineales de contorno y los destacados

PREPARACIÓN DE LOS HILOS

Si trabajas con varios colores a partir de un gráfico, hay que identificar cada color del gráfico con la correspondiente hebra de hilo. Para evitar confusiones, pega una pequeña hebra de cada color a la leyenda del gráfico.

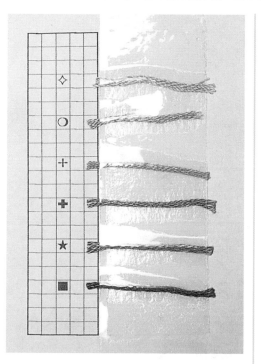

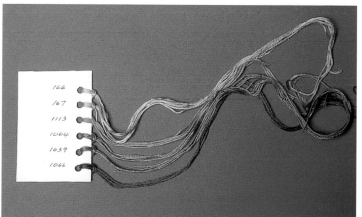

En cuanto se quitan las etiquetas de las madejas de hilo, puede ser difícil identificarlos. Hazte una tarjeta de hilos: perfora una serie de agujeros en una cartulina, ata en ellos los hilos y pon junto a cada uno su número de color.

BORDANDO EL DISEÑO

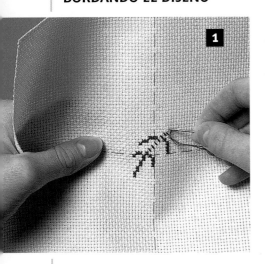

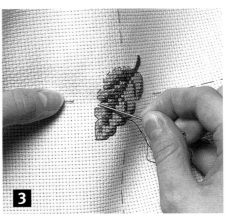

1 En general, es más fácil hacer pequeños e intricados detalles en un área antes de que se llene. Este ejemplo cerca del centro de la labor se hizo empezando por las venas de la hoja, de abajo arriba, volviendo al centro y trabajando las venas hasta el extremo del tallo. Estos primeros puntos deben contarse con cuidado y comprobar su posición en relación con las líneas de centro.

3 Completa el punto de cruz, luego añade los contornos y los detalles con pespuntes (página 30) o puntos Holbein (página 31). Estos puntos lineales se hacen por lo común con los hilos más finos o con unas pocas hebras. Algunos se hacen en los bordes de los cuadros y otros se hacen cruzándolos en diagonal. También pueden hacerse en los límites del punto de cruz en otro color.

Cuando hayas completado todo el punto, quita la labor del aro o del marco y plánchala o fíjala (páginas 66-67).

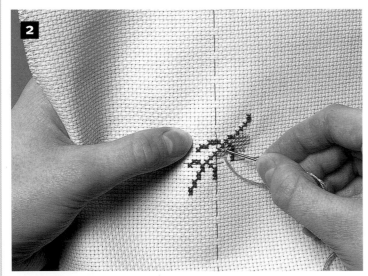

2 Sigue con las áreas adyacentes de color requeridas. Puede ser necesario usar puntos parciales (página 71). Los puntos parciales de este diseño son todos cuartos de punto de cruz, porque los puntos lineales que se añaden después completarán la forma.

Empieza en cada área nueva junto a una que ya esté hecha, así no te descontarás.

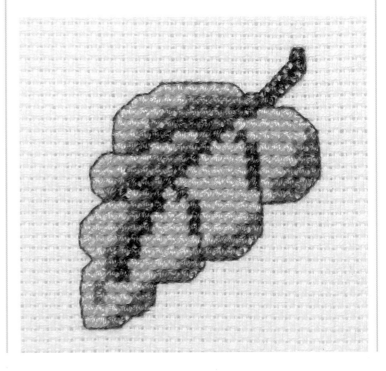

CONSEJOS

• *Asegúrate de que todos los hilos de los puntos del borde superior se hallan en la misma dirección (página 26). Para acordarte, haz una larga puntada en una de las esquinas de la tela, que represente la dirección del hilo de los bordes.*

• *El punto de cruz puede ser hecho de la misma forma en cañamazo, utilizando un hilo adecuado, como en un bordado de lana.*

COMBINACIÓN DE COLORES

Podemos introducir sutiles efectos de color mezclando colores de una o dos formas. Si los colores usados se parecen en tono e intensidad, el efecto lo hará un tercer color a medio camino entre los dos. Si los colores que se usan son más contrastados, podemos conseguir interesantes texturas.

Combinación de hilos

Cuando trabajes con hebras sueltas de hilos, puedes combinar hebras simples de dos (o más) colores diferentes juntos en la aguja. Aquí, la forma de la hoja está hecha en tres tonos: azul, azul verdoso y verde. Los hilos azul y verde producen el efecto de un tono intermedio entre los dos.

Puntos parciales

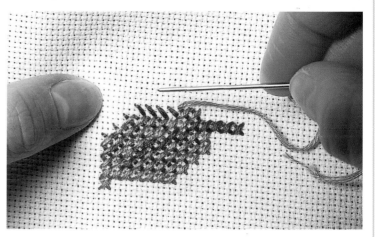

Aquí, usamos un color para las diagonales inferiores de cada punto de cruz, y otro color para las diagonales superiores. Este método se usa cuando se trabaja con hilos poco adecuados para enrollarlos, y facilitan el trabajo cuando se hacen puntos de cruz en hileras (página 29). El efecto no es tan bueno como la combinación comentada antes, pero puede ser una ventaja al añadir profundidad a la superficie.

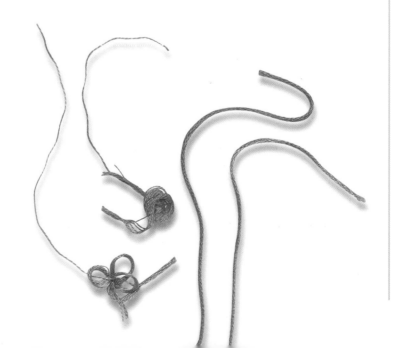

Diseños impresos en tela y cañamazo

Tienes una amplia gama de diseños para punto de cruz, punto gobelino y medio punto de cruz dibujados directamente sobre tela y cañamazo, donde cada color corresponde a un tono diferente de hilo. También puedes pintar tus propios diseños sobre cañamazo (página 100) o transferir fotografías y otras imágenes a tela o cañamazo (páginas 100-101).

No es necesario usar un aro o un marco, sobre todo cuando el punto de cruz se hace sobre cañamazo. Sin embargo, es mejor usar un aro o un marco para diseños en punto gobelino o medio punto de cruz, para evitar que el material se salga del modelo.

Los diseños en telas Aida o lino se trabajan normalmente en hilos de algodón o similares y los diseños en cañamazo en hebras de lana persa o lana de bordar.

Sigue las normas generales de las página 58-67. Las líneas de centro no hacen falta.

IDENTIFICAR LOS HILOS

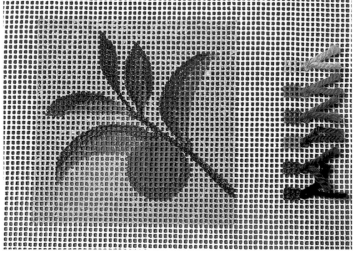

La leyenda de colores está, por lo común, impresa en el margen del cañamazo o la tela. Ata una pequeña hebra de cada color a su clave para evitar confusiones.

BORDAR EL DISEÑO

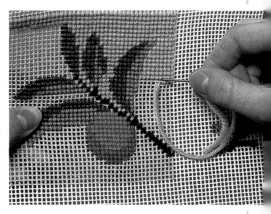

Puedes hacer las diferentes áreas de color en el orden que te apetezca, pero es una buena idea empezar con los primeros planos y rellenar los fondos al final. Los bordes de las áreas de color pueden no corresponder exactamente con los cuadros de la malla de tela o del cañamazo, así que interprétalas como mejor creas. Puede que desees alisar los contornos de un modelo o cambiar el declive de una línea al dar algunos pasos.

Algunos diseños imprimidos en tela no siempre necesitan ser completamente cubiertos de puntos; en este caso, las formas y los elementos más importantes del fondo son realzados con el bordado.

Cuando el bordado esté acabado, plancha o tensa la labor (páginas 66-67). La naranja debes hacerla en punto gobelino usando lana de bordar en un cañamazo de calibre 10.

▶ El ramillete de flores se ha hecho a punto de cruz usando hilo de algodón sobre tela Aida 14.

Bordado de Asís

El bordado o labor de Asís es un tipo particular de punto de cruz en negativo en el que el motivo principal no lleva puntos y el fondo posee un color sólido; ésta técnica se llama a veces «de vacío». Más allá del área sólida, suele añadirse un borde de puntos Holbein. Si repites el diseño, obtendrás una cenefa de color con un motivo intercalado.

Este trabajo se empezó a desarrollar en el pueblo de Asís. Italia, durante el Renacimiento. Tradicionalmente, las labores eran puntos sobre lino blanco o crema y un color oscuro para los fondos, con las líneas exteriores o los bordes en negro o un tono oscuro.

A menudo se usaba un punto de cruz de dos caras (italiano), con detalles de puntos Holbein, para hacer productos reversibles como banderas y estandartes, con diseños de motivos heráldicos y símbolos para procesiones y festivales.

Elige tela Aida o lino en un color claro y luego trabaja con hebras de algodón o seda.

Sigue las líneas generales de las páginas 58-67. Con frecuencia, conviene usar un bastidor redondo o cuadrado.

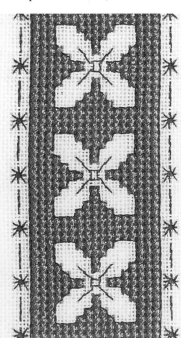

EL DISEÑO

Gráfico

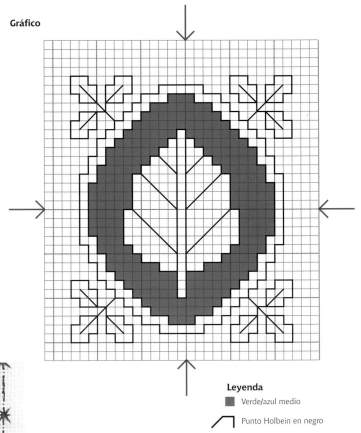

Leyenda

■ Verde/azul medio

⌐ Punto Holbein en negro

◀ Un simple motivo floral hecho con labor de Asís, repetido en una cenefa. Los otros bordes incluyen punto argelino (página 52).

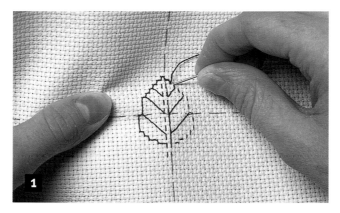

1 Traza el contorno del motivo central, usando punto Holbein (página 31) y un hilo fino (por ejemplo, de dos o tres hebras de algodón) en un tono oscuro. Añade los detalles dentro del contorno.

4 Cuando el bordado este completo, plancha o fija la labor como en las páginas 66-67.

2 Rellena el área del fondo a punto de cruz, utilizando un hilo más grueso de un color más luminoso. A veces, conviene hacer este punto de cruz en líneas.

3 Contornea la forma del fondo con punto Holbein y añade el borde, si lo hay.

Técnica del cañamazo deshechable

Esta técnica puede ser usada para hacer diseños a punto de cruz y otros puntos (como la labor en negro) sobre una tela lisa, es decir, que no sea Aida ni esterilla. Este cañamazo que luego deshilacharemos se usa (ver página 20) como una guía para situar los puntos, y después del bordado se extrae completamente.

Seguir las normas generales de las páginas 58-67.

Gráfico

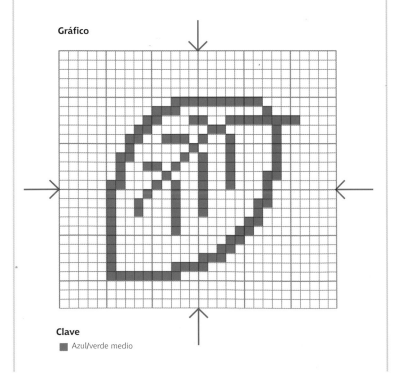

Clave

■ Azul/verde medio

PREPARACIÓN DEL CAÑAMAZO DESHECHABLE

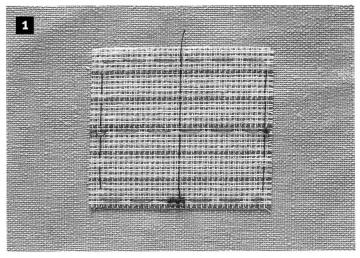

1 Cuenta los cuadros en el gráfico del diseño y corta un rectángulo de cañamazo tres o cuatro cuadros más grande por todos los lados. Marca las líneas de centro como en la página 59 y clava el cañamazo a la tela que vayas a usar, haciendo coincidir los hilos del cañamazo con el grano de la tela. Haz un hilván alrededor del borde.

CONSEJO

Para motivos grandes o telas resbaladizas, hilvana el cañamazo con una red de cuadros para mantenerlo en una posición plana estable.

BORDADO DEL DISEÑO

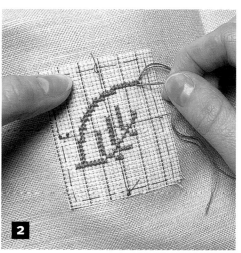

2 Puede que necesites usar una aguja afilada para perforar la tela de base. Si es así, ten cuidado de no atravesar los hilos del cañamazo. Algunas telas lisas pueden ser bordadas con una aguja pequeña de bordar sobre cañamazo si el tejido no está demasiado apretado.

Haz el diseño como indica el gráfico, bordando a través de los agujeros en el cañamazo deshechable después.

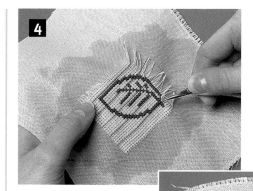

4 Usa pinzas para quitar los hilos de cañamazo despacio, uno por uno; saca primero los hilos de un lado, y luego los del otro. Déjalo extendido para que se seque antes de plancharlo.

RETIRADA DEL CAÑAMAZO

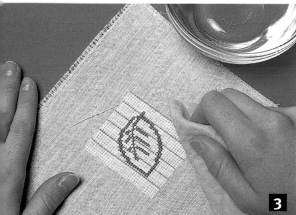

3 Cuando el bordado esté acabado, quita todos los hilvanes. Humedece el cañamazo con una esponja y agua fría para disolver el almidón.

▶ El motivo de la hoja, trabajado a punto de cruz con hilo de algodón en tela lisa del mismo material.

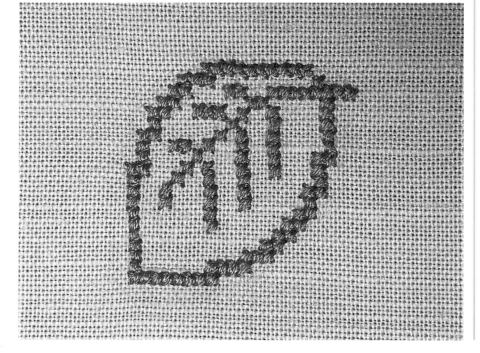

Labor en negro

Se cree que la técnica de la labor en negro se desarrolló en España durante los siglos de dominación árabe, y se hizo muy popular en Europa durante el siglo XVI. En cada país se desarrollaron variaciones diferentes, y se usó tanto para adornar capuchas, cuellos y mangas como en fundas de cojines y ropa blanca de cama. La labor en negro se empezó haciendo sobre lino blanco con hilos negros, y ocasionalmente con hilos rojos. Más tarde, los diseños fueron embellecidos a veces con hilo dorado o lentejuelas, o se llevaban debajo de una capa muy fina de gasa de lino.

Se usaban pequeños motivos que se repetían (muchos hechos de puntos lineales) para llenar áreas diferentes de un diseño en negro, y las distintas densidades de estos modelos creaban el efecto tonal. Algunos de estos modelos se muestran en las páginas 36-41; puedes crear el tuyo con la ayuda de un lápiz y un papel.

La labor en negro se hace normalmente sobre tela Aida o lino, y se usa hilo de algodón o seda, o un hilo único y rígido como algodón perlé o algodón de bordar. El hilo negro sobre tela blanca o crema es la elección tradicional, pero para un contraste fuerte puede usarse hilo blanco sobre una tela negra, o cualquier color fuerte sobre un fondo pálido.

Para bordar modelos lineales, usa un punto Holbein (página 31) o pespunte (página 30). El punto Holbein es preferible, a menos que la tela sea lo bastante fuerte para ocultar del todo cualquier hilo que pase por detrás de la labor. Otros tipos de punto que se pueden usar son punto de cruz ((página 26), punto de cruz vertical (página 35), zurcido de patrones (página 37) y punto argelino (página 52).

Para detalles pequeños sólidos, usa punto lanzado (página 51); y representa los detalles del tipo «ojos» con nudos franceses (página 50), cuentas pequeñas o lentejuelas.

Hay dos tipos de diseño en negro:

A partir de gráficos
Los cuadros de la tela o los hilos se cuentan a partir de un gráfico de la misma forma que para punto de cruz (páginas 68-69).

Diseños libres
En primer lugar, se dibujan sobre la tela los contornos del diseño, luego se rellenan las distintas zonas con modelos en negro. Cada zona puede ser contorneada con un punto no contado como punto de cadeneta (página 54), punto de tallo (página 54) o líneas de realce (página 55). Este método se usa a menudo para diseños basados en formas naturales, como flores y hojas.

◀ **AJEDREZ**
Jill Cater Nixon para Coats Crafts

50 x 50 cm
Labor en negro con hilo de algodón y trenza metálica sobre tela de lino o Aida.
Se han usado motivos pequeños y repetidos para crear el tablero de este juego tradicional.

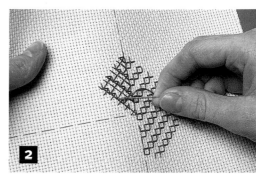

GRÁFICOS PARA DISEÑAR BORDADOS

Gráfico

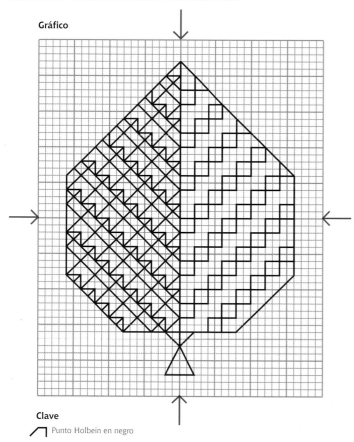

Clave

⌐ Punto Holbein en negro

Sigue las normas generales de las páginas 58-67

1 Empieza cerca del punto central y haz una línea del modelo atravesando una zona. Llena el área trabajando de abajo arriba, luego vuelve al centro y sube a lo más alto de la zona. Trata de establecer un orden lógico para cada modelo y haz siempre los puntos de cada motivo repetido en el mismo orden, manteniendo una apariencia tan regular como sea posible. Hacer los modelos en líneas horizontales, verticales o diagonales es lo más apropiado. Puede que necesites hacer puntos parciales en los bordes de un motivo.

2 Haz todos los modelos de la misma forma. Cuando empieces en una zona nueva, lleva los hilos por el revés, acabando por detrás del bordado previo; no des puntadas largas en el revés atravesando áreas que tienen pocos puntos o no tienen puntos, ya que los hilos oscuros pueden aparecer como una sombra en el derecho del bordado.

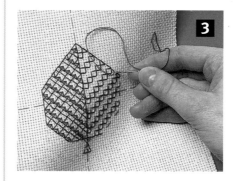

3 Haz los contornos al final, usando un hilo de diferente grosor si es posible.

▼ Esta hoja se ha hecho usando hebra de algodón Aida 14.

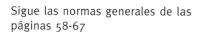
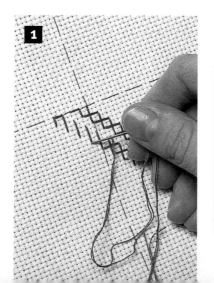
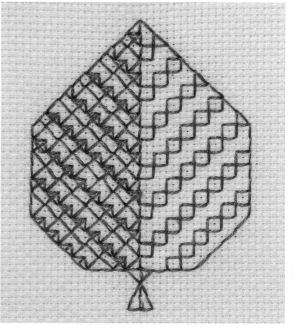

BORDA DISEÑOS DE TU IMAGINACIÓN

Cuando planifiques los estampados, haz una copia del diseño y sombréala con un lápiz en tres o cuatro tonos de gris claro a oscuro. Comprueba el efecto de los diferentes tipos de labor en negro en una pieza aparte usando la misma tela e hilo que usarás en la pieza acabada, y borda una pequeña zona de cada muestra. Apártate y estudia el efectos de varias muestras antes de elegir qué punto usar para cada tono requerido.

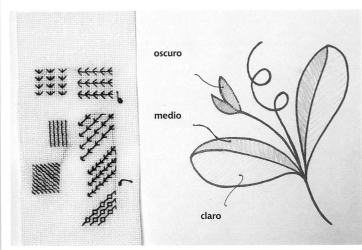

1 Traza o traslada los contornos del diseño a la tela por uno de los métodos descritos en la página 99. Puesto que las líneas se cubrirán de puntos, puedes usar marcas definitivas.

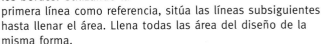

2 Para bordar en cada área determina el centro de la misma a ojo y márcala con dos líneas hilvanadas si lo deseas. Luego borda una línea del dibujo estampado empezando en el centro del área y bordando cada lado por turnos. Puede que requieras puntos parciales en los bordes. Utilizando la primera línea como referencia, sitúa las líneas subsiguientes hasta llenar el área. Llena todas las área del diseño de la misma forma.

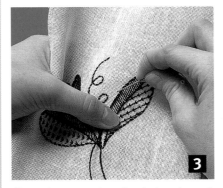

3 Para hacer los contornos, es probable que necesites una aguja de coser. Usa un punto fluido, ya sea un punto de tallo, un punto de cadeneta o líneas de realce, y trabaja sin contar los hilos. Puedes hacer estas líneas con hilos metálicos o de oro, o zurcir una línea de punto de tallo de la misma forma que en el zurcido serpenteante de la página 53. A veces se necesitan puntos con abalorios o lentejuelas.

SOMBRAS CON LABOR EN NEGRO

Se pueden conseguir gradaciones de tono por medio de áreas diseñadas para obtener un efecto más realista, usando hilos de diferentes grosores u omitiendo gradualmente elementos del bordado. Esta técnica puede ser usada para adaptar el diseño de un gráfico o añadir profundidad a un diseño libre.

Sombras con hilos de diferentes grosores

Las hebras de hilo se usan según este método: si haces puntos con una, dos, tres o más hebras, el diseño aumentará su densidad. Usa un lápiz soluble en agua para contornear las diferentes zonas de sombra y luego bórdalas

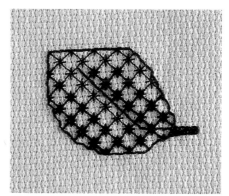

por separado con hilos de diferente grosor, sin dejar de mantener el mismo tipo de bordado en todo el diseño.

Sombrea variando el tipo de bordado

Eliminando sucesivamente elementos de cada grupo de puntos, el diseño «termina» en las zonas más claras. Puedes planificar las variaciones en un gráfico en papel antes de empezar, o trabajar con más libertad:

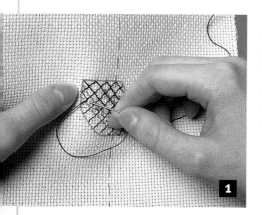

1 Usa un lápiz soluble en agua para contornear las áreas con sombras diferentes, y empieza dibujando la versión más clara del diseño en todo el dibujo.

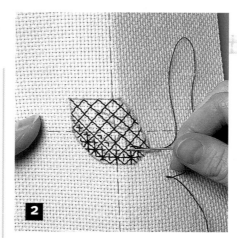

2 Realiza todo el diseño en el área más oscura.

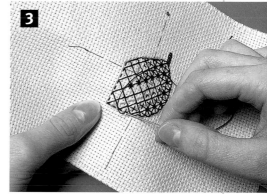

3 Añade los elementos del diseño que sombrean la parte que se haya entre las zonas más claras y las más oscuras, haciendo que se mezclen. Puedes añadir más de tres tonos si lo deseas, y conseguir sutiles variaciones, e incluso puedes dejar las áreas más claras sin bordar.

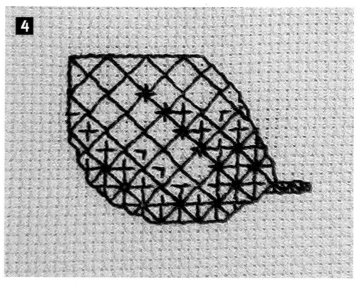

4 Añade los contornos y/o los detalles lineales al final.

Trabajar con Hardanger

Es un tipo de bordado desarrollado en el distrito noruego de Hardanger. Aunque los tradicionales diseños geométricos parecen bastante sencillos, pueden realizarse de formas diferentes y dar lugar a efectos variados e intrincados.

Los bloques de punto lanzado (página 42) son pequeños cuadrados de punto lanzado con los cuales se aseguran los hilos para que puedan ser cortados y retirados. Es necesario planificar y contar perfectamente. Después de cortar y retirar los hilos, quedará una cuadrícula vacía de hilos que podrá ser zurcida o tejida a punto de cordón. Los espacios cuadrados en la rejilla pueden ser decorados con varios puntos de relleno, haciendo intrincados diseños que contrasten la tela y los hilos claros con los espacios oscuros. Se pueden incluir otros puntos (como motivos hechos con puntos lanzado) en el diseño. Los diseños serán necesariamente geométricos, pero con frecuencia derivarán a formas naturales estilizadas.

Para este trabajo suele usarse la tela Hardanger; se trata de una tela tramada muy cerrada, de 22 y 24 cuentas (página 19). Pueden usarse otras telas tramadas, pero deben estar tejidas con firmeza. Las cuentas de la tela determinan el tamaño final.
 Lo normal es trabajar con dos hilos diferentes: un hilo grueso como el algodón perlé número 5 para los bloques y algún punto lanzado, y uno ligero, como el perlé número 12, o dos o tres hebras de algodón, para las barras y rellenos. Los hilos deberán elegirse de acuerdo a las cuentas de la tela. Los gruesos darán una buena cubrición en los bloques, aunque, por otro lado, los extremos cortados de los hilos quitados darán imagen de desorden.
La labor Hardanger se borda tradicionalmente en hilo blanco, pero actualmente se usan también otros colores. Si eliges tela e hilos en colores a juego, disimularás mejor los extremos de los hilos cortados.

BORDAR UN DISEÑO HARDANGER
Sigue las normas generales de las páginas 58-67.
Los diseños Hardanger se hacen a partir de gráficos.

Gráfico

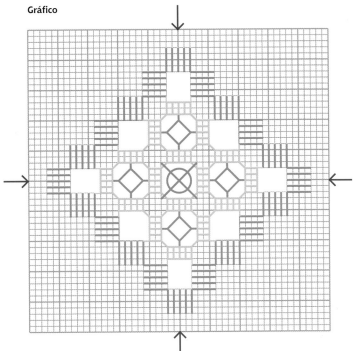

Clave

 Bloque de punto lanzado

Punto de zurcido

 Relleno con punto de espíritu

 Relleno con punto de rueda

▲ Cada cuadrado en el gráfico representa un cuadro de la tela Hardanger. Las áreas en blanco representan los espacios dejados después de que los grupos de cuatro hilos hayan sido cortados y retirados, y después de haber realizado los puntos de zurcido sobre los hilos restantes. Algunos de estos espacios se rellenan con un punto decorativo de relleno.

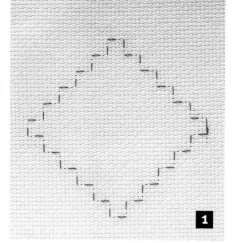

1 Hilvana unas líneas de centro y el contorno del diseño en la tela. El hilván es más exacto que un marcador: da pequeños puntos hilvanados siguiendo los agujeros. Los puntos deben ser dados con exactitud para que los hilos puedan ser cortados y retirados con precisión.

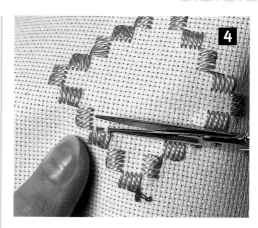

4 Usa una aguja de bordar para agrandar los agujeros del borde de uno de los bloques a punto lanzado del diseño. Usa unas tijeras de punta muy afilada para cortar a través de los cuatro hilos (uno cada vez) en el borde de uno de los cuadros: inserta la punta de las tijeras y sácala de nuevo sujetando el hilo antes de cerrar las tijeras, para evitar cortar el bloque. Corta a través de los cuatro hilos hasta la base del cuadrado opuesto. Y corta sólo los hilos que van en la misma dirección que los puntos lanzados.

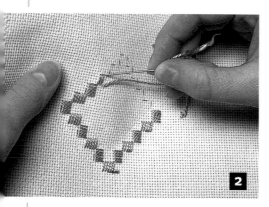

2 Para hacer los bloques de punto lanzado (página 42): usa hilo grueso y una aguja de bordar pequeña. Para los cuadros que cierran una forma en que los hilos deben ser quitados, empieza en una esquina del diseño y sigue las agujas del reloj.

Evita pasar los hilos gruesos por el revés de áreas no bordadas, ya que podrían verse por el derecho cuando se exponga la labor. Los cuadros y otros diseños en satén serán usados a veces como elementos del diseño sin hilos cortados. Si es así, haz los siguientes pasos usando el mismo hilo grueso.

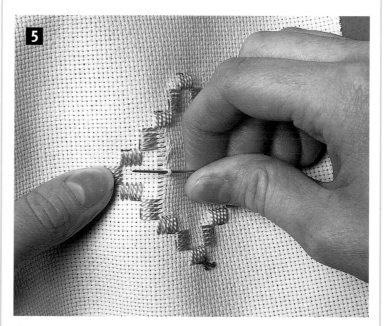

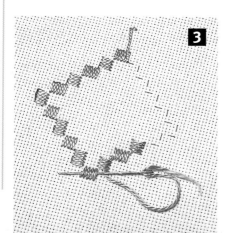

3 Descose el pespunte a deshilachar y asegura todos los extremos de los hilos pasándolos por detrás de varios cuadrados.

5 Según la tela, puedes usar una aguja de bordar (o de tapicero) para aflojar los hilos.

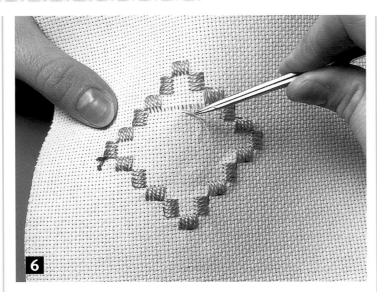

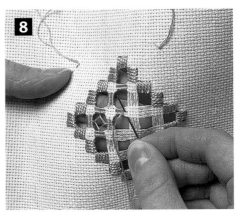

8 Cambia a un hilo fino para hacer las barras y los rellenos. Las barras se hacen en la cuadrícula abierta de los hilos de la tela, y los rellenos en los espacios vacíos. Las barras pueden ser rematadas a punto de cordón (página 43), zurcidas (página 43), o zurcidas con picos (página 44). Los cuadros vacíos se pueden rellenar con puntos de espíritu (página 44), puntos de espíritu oblicuos (página 45) o puntos de rueda (página 45).

Sigue un orden lógico: empieza por arriba (o arriba a la izquierda) del dibujo y baja en diagonal antes de volver a subir, haciendo las franjas de cada cuadrado (y sus rellenos, si conviene) por turnos. Cuando sea necesario, pasa los hilos por detrás de un bloque. Sujétalo con seguridad.

6 Usa unas pinzas para tirar de los hilos uno por uno.

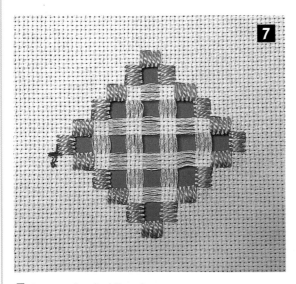

7 Saca todos lo hilos de una dirección primero y luego de la otra. Quedará una cuadrícula de hilos abiertos.

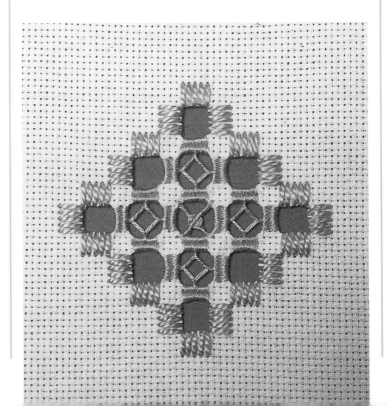

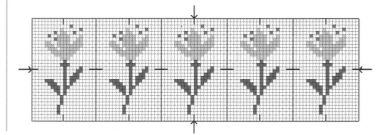

Diseños repetidos

Un motivo puede ser repetido

de varias formas para hacer un diseño:

como una repetición de cenefas, una

repetición en hilera, una repetición en lágrimas

bajas, en mitades simétricas (imagen en espejo)

o como una repetición a cuartos.

REPETICIÓN DE CENEFAS

Cuenta el número de cuadros que necesita el motivo a repetir y calcula cuántas repeticiones necesitas para cubrir todo el borde. A veces es más fácil ajustar el número de puntos en cada repetición, añadiendo u omitiendo uno o más cuadrados o puntos del fondo para hacer un relleno perfecto.

Número impar de repeticiones

Haz un motivo en el centro de la cenefa, procurando que la línea vertical de centro del dibujo coincida con la de la tela o el cañamazo. Sigue con las repeticiones a los lados.

Número par de repeticiones

Haz un motivo a cada lado de la línea de centro en la tela o el cañamazo, y luego repite los demás motivos a los lados.

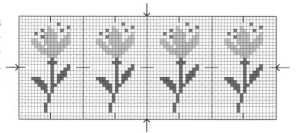

REPETICIÓN EN HILERA

Calcula cuántas repeticiones necesitarás a lo ancho y cuántas a lo alto.

Para un número impar de hileras, haz primero la hilera central, como para un borde repetido, y luego repite las hileras arriba y abajo.

Para un número par de hileras, haz una hilera sobre la línea horizontal de centro y otra hilera por debajo.

REPETICIÓN EN FORMA RECTA

Cuenta cuántas repeticiones necesitas a lo ancho, y cuántas necesitas a lo alto.

Si vas a hacer un número impar de hileras, haz primero la hilera central, como para una repetición de cenefas.

Si vas a hacer un número par de hileras, haz la primera por encima o debajo de la línea de centro de la tela o el cañamazo.

Luego haz coincidir la línea central de cada motivo de la hilera que ya hayas hecho con el límite lateral de los motivos que se situarán encima y debajo. Repite las dos hileras, arriba y abajo, hacia fuera desde el centro, alternando las repeticiones como en el dibujo.

Los motivos se repiten como los ladrillos de una pared.

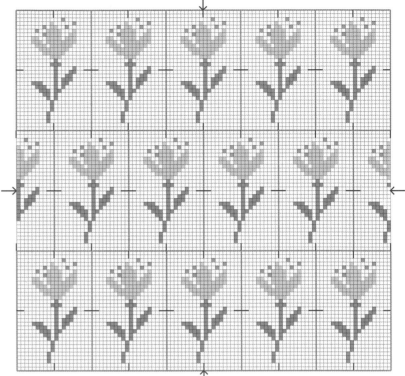

REPETICIÓN EN LÁGRIMA BAJA

Cuenta cuántas hileras verticales necesitarás a lo ancho y cuántas repeticiones en cada hilera a lo largo.

Si tienes que hacer un número impar de hileras verticales, haz primero la hilera central. Si hay un número impar de repeticiones en la línea central, haz coincidir la línea de centro del motivo central con la línea de centro de la tela o el cañamazo. Si vas a hacer un número par de repeticiones en esta hilera, haz los primeros motivos arriba y abajo de la línea de centro de la tela o el cañamazo.

Si tienes que hacer un número par de hileras, haz la primera hilera a la derecha o a la izquierda de la línea vertical de centro en la tela o el cañamazo. Luego, haz coincidir la línea de centro de los motivos de la primera hilera con los bordes superior e inferior de los motivos en las hileras contiguas. Repite las hileras a partir del centro, alternando los motivos como en la muestra.

MITADES SIMÉTRICAS

Un diseño puede ser una imagen especular, repetido sobre una línea de centro vertical u horizontal. Sólo tienes que dibujar una mitad de cada diseño; la otra mitad se hace como una imagen especular de la primera.

Centro vertical

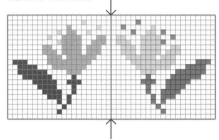

Empieza haciendo la primera mitad como en el gráfico. Puede ser por encima o por debajo de la línea de centro horizontal o a la derecha o la izquierda de la línea vertical de centro. Haz coincidir la segunda mitad con el reverso.

Centro horizontal

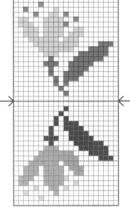

REPETICIÓN A CUARTOS

Hay tres tipos de cuartos repetidos. En cada caso, sólo necesitarás el gráfico de un cuarto del diseño.

Cuadrado de cuartos repetidos (imagen especular)

El gráfico (derecha) muestra el cuarto superior de la derecha de un diseño.

Marca el extremo superior de la tela o el cañamazo según el gráfico. Haz el primer cuarto siguiendo el modelo y procura que las líneas coincidan.

Haz el cuadrado superior de la izquierda como una imagen especular del anterior.

Luego, haz la mitad inferior como una imagen especular de la mitad superior.

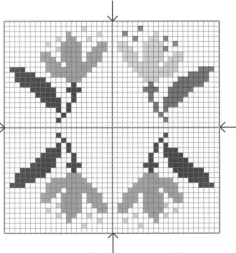

Repetición a cuartos (girando 90 grados)

El diseño está también a cuartos, pero los cuartos se repiten de otra forma.

Haz el (primer) cuarto superior del diseño como en el gráfico.

Hay dos formas de hacer los cuartos sucesivos:

Si giras la tela o el cañamazo 90 grados al bordar cada cuarto, la dirección de los puntos cambiará para cada uno de ellos.

Si giras el gráfico (en vez de la tela o el cañamazo) 90 grados para cada cuarto, la dirección de los puntos permanecerá de la misma forma en todo el diseño.

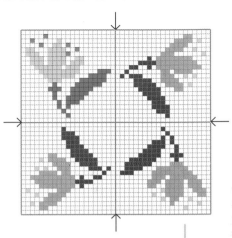

Cuartos en diagonal

Un tercer tipo de cuartos repetidos se hace dividiendo los diseños en diagonal. Estos diseños pueden centrarse en cañamazo por medio de líneas ingleteadas diagonales en vez de por líneas de centro. Haz hilvanes en los ingletes del cañamazo, cruzando en diagonal las intersecciones del mismo.

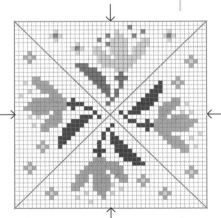

Haz el primer cuarto como en el gráfico. Si giras la tela o el cañamazo 90 grados para bordar los sucesivos cuartos, la dirección de los puntos podría cambiar en cada cuarto.

Si giras el gráfico (en vez de la tela) 90 grados en cada cuarto, es más fácil que conserve la misma dirección de los puntos en todo el diseño.

Adaptar diseños

A partir de un gráfico, se pueden hacer cambios variando el tamaño, los materiales, los colores o el punto.

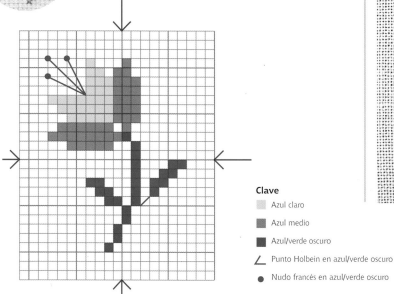

CAMBIAR EL PUNTO

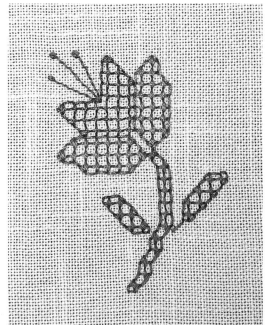

Se puede cambiar el aspecto de un diseño usando un punto diferente. Esta flor ha sido hecha a punto de cruz vertical (página 35) con los contornos añadidos, y se ha usado hebra de algodón sobre una tela de lino.

Clave

▢ Azul claro

▨ Azul medio

▇ Azul/verde oscuro

╱ Punto Holbein en azul/verde oscuro

● Nudo francés en azul/verde oscuro

CAMBIAR LA ESCALA

En este caso, el mismo motivo floral ha sido hecho en **1** con Aida 22 (punto de cruz con dos hebras de hilo de algodón), en **2** con Aida 14 (punto de cruz con tres hebras de algodón y abalorios pequeños) y en **3** sobre cañamazo de calibre 10 (punto gobelino en lana de tapicería). La versión **4** ha sido hecha con Aida 14, en algodón perlé número 5 bordando cada cruz sobre dos cuadros en ambas direcciones. La versión **5**, la más grande, se ha bordado en algodón perlé nº 5 sobre tela Binca (6 cuentas).

CUENTAS

Se puede sustituir el punto de cruz por cuentas. Elige cuentas que coincidan con el tamaño de los cuadros en tela Aida, de modo que cada cuenta cubra un cuadro.

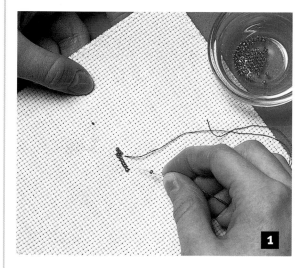

1 Elige una aguja que pase con facilidad a través de las cuentas: una de coser que sea lo bastante pequeña. Para coser una cuenta, pasa la aguja de abajo arriba por una de las esquinas de un cuadro y ensarta una cuenta en la aguja.

2 Inserta la aguja por la esquina opuesta del cuadro y tira de ella. La cuenta puede coserse a veces con un punto que pase por una esquina de un cuadro. La cuenta central del gráfico se coloca sobre un agujero: pasa la aguja a través del agujero, enhebra una cuenta en la aguja y pasa la aguja hacia abajo otra vez por el mismo agujero.

Gráfico

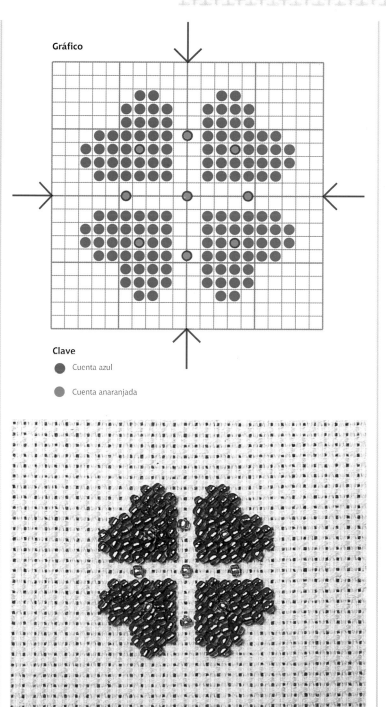

Clave

● Cuenta azul

● Cuenta anaranjada

USAR OTROS FONDOS

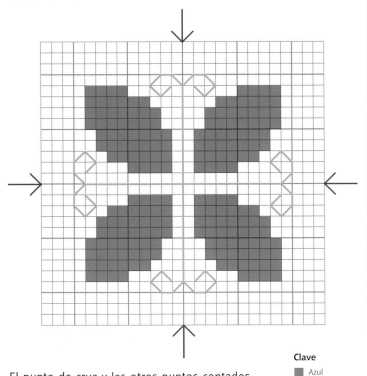

Clave

■ Azul

⌃ Punto Holbein en turquesa

El punto de cruz y los otros puntos contados pueden trabajarse también en una tela o material que forme una cuadrícula regular.

Malla de metal

La malla de metal muestra formas de retícula cuadrada que puede ser bordada con la misma exactitud que si fuera cañamazo, aunque no es necesario cubrir el alambre por completo. Cubre los bordes de la malla con cinta de papel adhesivo para asegurarlos (página 59). Planifica el bordado con cuidado para evitar pasar hilos por el revés de la malla vacía. Esta flor está hecha a punto de cruz y punto Holbein con hebra de algodón.

Diseños sobre tela reticulada

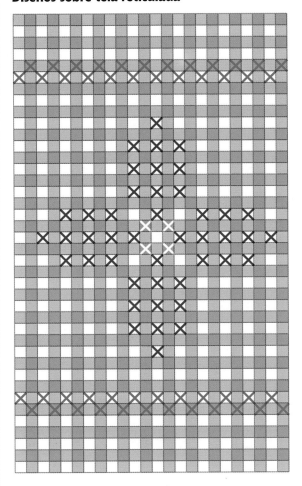

Clave

✕ Cruz oscura sobre cuadro blanco

⊠ Cruz clara sobre cuadro oscuro

✕✕✕ Punto de escapulario en turquesa

La tela de cuadros (blancos y de otro color) ofrece un interesante fondo para el punto de cruz. Esta tela ligera es reforzada con un estabilizador y estirada en un aro o un marco (páginas 60-61). Las áreas oscuras pueden ser bordadas cubriendo los cuadros blancos con un hilo oscuro, y las áreas claras cubriendo los cuadros oscuros con puntos blancos. El punto de escapulario es bastante eficaz.

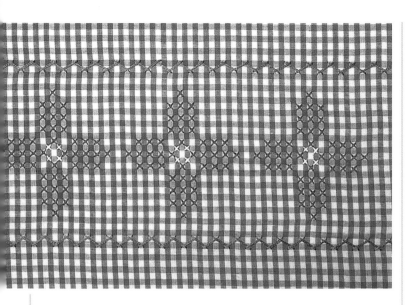

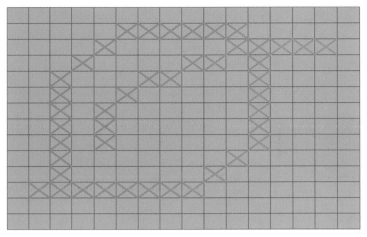

Labor de punto

Clave

✕ Punto de cruz
en turquesa

Observa como los puntos están un poco distorsionados porque el diseño no es lo bastante cuadrado. Este diseño de una cenefa puede hacerse en hilo de algodón sobre tela a cuadros con unos ocho cuadros cada 25 mm.

El punto de media liso puede ser decorado con punto de cruz. Este tipo de punto suele ser un poco más ancho que largo, y distorsiona las cruces. Para un aspecto adecuado, el diseño se dibuja sobre una retícula de rectángulos coincidentes con los puntos (como en la página 108). Usa un hilo ligeramente más grueso que el hilo del punto para una buena cubrición.

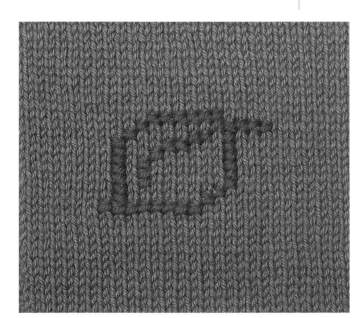

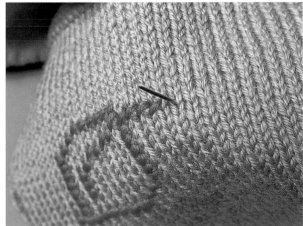

Para hacer los puntos de cruz, pasa la aguja arriba y abajo a través de los centros de los puntos de media.

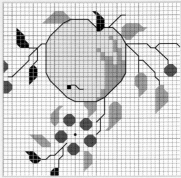

CAPÍTULO 4

Tus propios diseños

*Una vez te hayas familiarizado con las técnicas básicas, puedes darle
personalidad al punto y crear tus propios diseños. Puedes representar en ellos
a tu familia, tu casa, tu jardín, tu animal de compañía y tus lugares favoritos o
crear diseños para regalar o celebrar ocasiones especiales.*

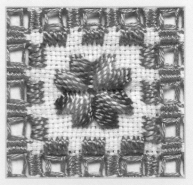

Motivos de inspiración

La inspiración puede venirte de muchas fuentes: fotografías, dibujos, pinturas, colages, motivos diseñados por otros artistas, telas impresas, pictogramas chinos...

Algunas imágenes pueden ser usadas como son, mientras que otras pueden necesitar ser simplificadas o cambiadas para hacerlas asequibles al punto, como describiremos en «Preparación de la imagen» (páginas 96-97) y «Ajuste de la imagen» (página 98).

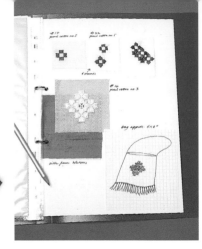

Si guardas notas de los proyectos que hayas realizado, pueden ayudarte a elegir adecuadamente en el futuro.

Guarda algunos gráficos o dibujos que hayas hecho para tus muestras de punto. Anota el tamaño de cada pieza y la tela e hilos que hayas usado, junto con los puntos especiales o las técnicas. Puedes incluir también fotografías o proyectos acabados.

¿Qué método usar?

En este capítulo se muestran varias maneras de trabajar, aconsejables para diferentes tipos de diseño y para distintos hilos de cuentas.

Diseños a punto de cruz multicolor para tela o diseños en punto gobelino para cañamazo

Puedes usar alguno de los métodos descritos, y en cada caso aplicar el diseño directamente al material o a partir de un gráfico. Si puedes partir de una imagen que no requiera de simplificaciones o alteraciones, los métodos para transferir color o retículas de acetato son simples y fáciles de usar, como son el calco directo o métodos pictóricos.

Para diseños más estilizados a punto de cruz (incluyendo labor de Asís) y gráficos de labor en negro

Los diseños se han simplificado y son menos realistas, como requiere el gráfico. Elige el método de calcar el gráfico del papel, la técnica del papel cuadriculado o programas informáticos.

Para labor en negro de estilo libre

Usa el método directo de calcado o haz un seguimiento de contornos.

Para labor Hardanger

La correcta situación de los puntos es crucial, así que dibújalo directamente en un gráfico de papel plano, o hazlo con un ordenador.

Preparación de la imagen

ALARGAR Y REDUCIR

Generalmente, es necesario empezar por hacer una copia de la imagen en el tamaño exacto que se requiere. Puede hacerse de forma automática con una fotocopia, usando un ordenador con escáner o, a mano, «arreglándoselas» con un dibujo. En muchos tipos de bordado, las curvas y las líneas inclinadas deben ser interpretadas como una serie de pasos. Para agrandar la imagen, lo más fácil será dar estos pasos con calma.

Mediante fotocopia o escáner

Los cambios en el tamaño de la imagen son expresados con frecuencia como un porcentaje del tamaño original.

Si la imagen original mide $1 cm^2$, un 50 por ciento de reducción disminuirá las medidas en todas las direcciones y nos dejará una imagen de $0,5 cm^2$. Un aumento del 200 por ciento doblará las medidas en todas las direcciones, dando una imagen de $2 cm^2$. Podemos especificar el porcentaje que necesitamos: un 175 por ciento de aumento, por ejemplo, nos daría una imagen de $1,75 cm^2$.

Si agrandas mucho una imagen, el contorno se verá borroso e indistinguible, pero podrás dibujarlo otra vez y darle la forma adecuada.

Dibujando a mano alzada

Este método no requiere ser un hábil y experto dibujante.

Mide primero la imagen original y decide cuán grande quieres la imagen final. El ejemplo de abajo se ha agrandado cuatro veces (400 por ciento): cada $6 mm^2$ (cuarto de pulgada) en el calco se han agrandado a $25 mm^2$ (una pulgada) en el diseño que hemos dibujado.

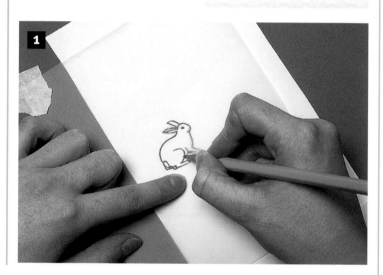

1 Dibuja la imagen original a lápiz

200 por ciento de aumento

tamaño original

50 por ciento de reducción

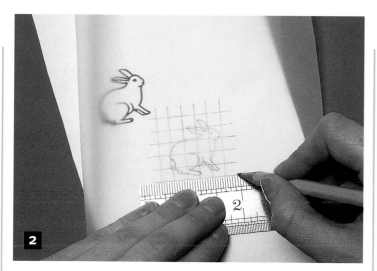

2 Dibuja una cuadrícula de cuadrados pequeños (en la imagen, de 6 mm^2) sobre el diseño.

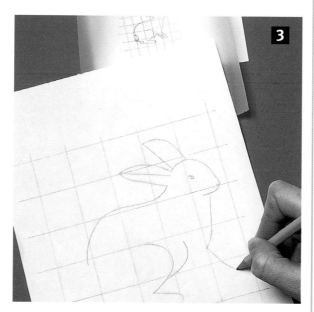

3 Dibuja una cuadrícula en el papel con el mismo número de cuadrados agrandados (en la imagen, de 25 mm^2). Usando la cuadrícula como referencia, copia las líneas del dibujo cuadro por cuadro.

CONSEJOS

- Si vas a dibujar un gráfico a partir de la imagen, puedes copiar el diseño directamente en el papel del gráfico.
- Si la imagen que quieres copiar está en una superficie curvada (como un plato), usa entretela ligera de modista en vez de papel de dibujo y sujétala con celo.

Ajuste de la imagen

Ahora que la imagen tiene el tamaño que deseas, considera con detenimiento si necesitas simplificarla o hacer otros cambios.

Si buscas una fotografía para una calcomanía, puede que te parezca sorprendentemente difícil encontrarla. Si tienes acceso a un ordenador con programas de tratamiento de fotografías, podrás cambiar el color o el contraste y eliminar detalles o fondos que no te interesan e imprimir el dibujo deseado.

Con una fotocopiadora podrás cambiar el contraste o el equilibrio de color, imprimir una copia y recortar las partes de la imagen que no desees.

Puedes hacer un colage con copias de fotografías, o dibujar los detalles desaparecidos.

ELEGIR COLOR

Elige siempre hilos de color para luz de día.

Para ayudarte a visualizar el efecto de una combinación de colores, coge una cartulina y enrolla una hebra de cada color en torno a una sección de la misma con el fin de tener una gama sólida de colores, más o menos en la misma proporción en que aparecen en el dibujo. Valora con calma si el resultado es adecuado: ¿demasiado oscuro?, ¿demasiado claro?, ¿no hay bastante contraste? Mira los colores a distancia y de cerca. Cuando bordes, prepárate a cambiar: cuando empieces un color, haz unos puntos y considera el resultado antes de continuar.

Aplicación de diseños sobre la tela

Una vez con la imagen al tamaño deseado, puedes llevarla directamente a la tela o el cañamazo, pintarla sobre cañamazo o hacer tu propia transferencia.

1 Pega el diseño sobre la caja de luz (o la ventana). Protege el diseño con una lámina de plástico claro, y pégala también.

NECESITARÁS:
una caja de luz
  (de creación propia)
cinta de papel
  adhesivo
rotulador soluble en
  agua (para la tela)
rotulador permanente
  (para el cañamazo)

MÉTODO DE DIBUJO

Este método puede usarse en tela o cañamazo. El motivo debe estar dibujado o impreso en un papel bastante delgado. No sirve con fotografía sobre papel de fotos.

  Sobre tela, puedes usar un rotulador soluble en agua para que las líneas del dibujo puedan quitarse cuando se haya completado el bordado. Sobre cañamazo, el bordado cubrirá las líneas por completo, así que usa rotuladores permanentes (en el color que quieras).

vidrio o plexiglás

soporte
(ladrillos)

fuente de luz

2 Pega la tela (o cañamazo) sobre el diseño y calca el contorno.

Si no tienes una caja de luz, puedes pegar el diseño y el material a una ventana contra el sol, o improvisar con una lámina de vidrio o plexiglás sujetado sobre una lamparilla.

PINTAR SOBRE CAÑAMAZO

Se puede pintar sobre cañamazo con pintura acrílica, rebajada con un poco de agua. El cañamazo natural (sin blanquear) absorbe la pintura con mayor facilidad. Usa un modelo para calcar. Deja el cañamazo sobre una superficie plana para que se seque.

COMPÓN TUS PROPIAS CALCOMANÍAS

En el mercado existen varios productos disponibles para que puedas hacer tus propias calcomanías. Debes seguir las instrucciones del fabricante.

Ten en cuenta que las imágenes calcadas aparecerán del revés, aunque en algunos casos no sea importante. Para invertir la imagen, calca el dibujo y dale la vuelta, o utiliza la opción de «voltear horizontalmente» o de «imagen especular» del ordenador.

Bolígrafos y lápices para calcar

Normalmente, se utilizan para trazar el contorno del dibujo (por ejemplo, en la labor en negro de estilo libre, página 80) sobre papel de calco, papel encerado o papel pergamino. Luego, el calco se aplica sobre la tela y se plancha del revés.

Tira de la tela para que esté totalmente lisa, fíjala a la tabla de planchar con alfileres y sujeta el calco encima en su lugar también con alfileres, con la cara del dibujo hacia abajo. Calienta la plancha siguiendo las instrucciones del fabricante y presiona con fuerza durante el tiempo necesario. Levanta la plancha y vuelve a colocarla encima de la labor, sin deslizarla sobre la tela. Para comprobar que se ha calcado correctamente la imagen, levanta una esquina con cuidado. Si el calco se mueve durante el proceso de planchado, el contorno de la imagen estará borroso. La mayoría de los trazos de calco son indelebles, por lo que hay que cubrirlos con puntadas.

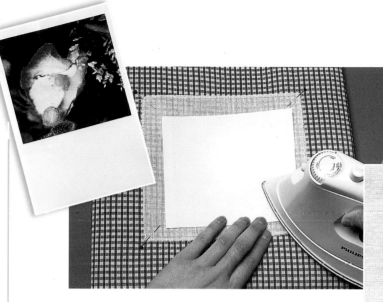

Hojas para calcomanías en color

Existen hojas de papeles especiales para calcomanías para usar en fotocopiadoras en color, impresoras láser o impresoras de chorro de tinta. Normalmente, se plancha la calcomanía para fijarla sobre la tela y una vez enfriada se retira la lámina. Una vez más, se recomienda seguir las instrucciones del fabricante con atención: la temperatura y el tiempo de planchado son aspectos cruciales.

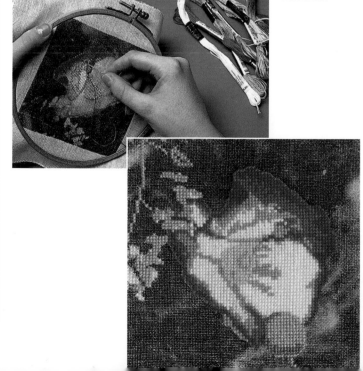

SELLOS DE GOMA

En las tiendas de manualidades se vende una amplia gama de sellos de goma con flores, pájaros, animales ¡y cualquier dibujo que pueda imaginarse! También puedes adquirir un tampón de entintar especial para telas o un sello con una fina capa de pintura para telas. Selecciona un color que se mezcle bien con el punto que vayas a usar. Una vez más, haz una prueba en un retal de la misma tela primero.

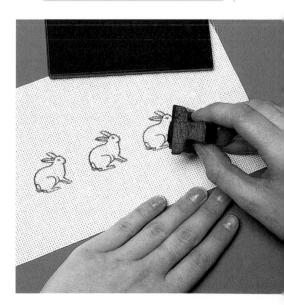

PREPARACIÓN DE GRÁFICOS

Existen varias formas de preparar tus propios gráficos, hacer una copia exacta de una fotografía o pintar con una rejilla de acetato. Si quieres simplificar una imagen, intenta calcarla con papel de calco.

Para producir un diseño más estilizado o cambiar totalmente una imagen, utiliza papel de calco. Esta técnica es más lenta que las que cuentan con una fotocopiadora o un ordenador, pero quizás la prefieras por esa misma razón. Conforme preparas el gráfico, puedes pensar en la mejor forma de realizar el tema y decidirte por el papel en vez de por la labor. También puedes preparar un gráfico más grande que la labor en sí, para que resulte más fácil de calcar.

Si cuentas con un ordenador, puedes optar por utilizar una amplia gama de programas de diseño para preparar tus gráficos a punto de cruz y otros puntos. El escáner te permitirá trabajar directamente de una fotografía o dibujo original.

TÉCNICA CON REJILLA DE ACETATO

Puedes comprar una gama de hojas de acetato, con rejillas de varios tamaños, o puedes imprimir cualquier tamaño de rejilla sobre la hoja, según convenga, utilizando el ordenador o la fotocopiadora. Venden hojas diferentes de acetato para los distintos tipos de impresora; asegúrate de comprar el correcto.

Selecciona el tamaño de la rejilla que se adecúe a la tela que vayas a utilizar. Amplía o reduce la imagen según el tamaño deseado (página 98).

NECESITARÁS:
una rejilla de acetato
una imagen
una fotocopiadora

Coloca la rejilla de acetato sobre la imagen y haz una fotocopia de ambas cosas. Cuenta los cuadrados del gráfico para marcar las líneas centrales y márcalas con flechas.

Es posible que algún cuadrado contenga más de un color. Puedes interpretarlos como desees cuando empieces a bordar.

TÉCNICA CON PAPEL DE CALCO

Existen hojas con cuadrados ya impresos sobre el papel de calco, con rejillas de varios tamaños que encajan con las distintas medidas o cuentas de la tela Aida.

Selecciona un tamaño de rejilla que encaje con la tela que vayas a utilizar.

Amplía o reduce la imagen según el tamaño deseado (página 98).

NECESITARÁS:

papel de calco

una imagen

un lápiz afilado

lápices o bolígrafos de colores

cinta adhesiva de papel

una superficie lisa y firme (como una hoja de cartón)

2 Colorea los cuadrados con lápices de colores. Dibuja y presiona suavemente para que resulte fácil ver los cuadrados de la rejilla. Si los cuadrados no son demasiado pequeños, puedes utilizar rotuladores de colores claros.

Los colores no tienen que ser exactos, ya que sólo son un indicador de los colores de los hilos que se van a utilizar. A veces, es útil indicar las diferencias entre dos tonos similares y pintarlos con colores bien diferenciados, para ver la diferencia con facilidad.

Cuenta los cuadrados del gráfico para marcar el punto central e indícalo con flechas.

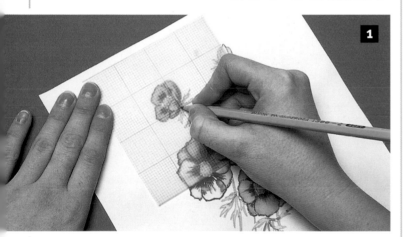

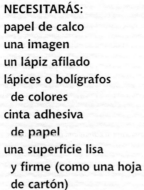

1 Fija la imagen sobre una superficie plana y sujeta el papel de calco por encima con cinta adhesiva. Con un lápiz bien afilado, perfila la imagen. En este punto, puedes ajustar los pasos para las líneas curvas e inclinadas, añadir u omitir detalles e indicar puntadas parciales o contornos.

Para trabajar sobre el gráfico, coloca una hoja de papel blanco detrás.

NECESITARÁS:

un papel cuadriculado
(10 cuadrados cada
25 mm es un tamaño
muy útil)
una imagen
un papel de calco
lápices de tono oscuro
y claro
lápices de colores
un rotulador de punta
fina (negro o de color
oscuro)
una goma de borrar
cinta adhesiva
de papel
una superficie lisa
y firme (como una hoja
de cartón)

TÉCNICA CON PAPEL CUADRICULADO SIMPLE

Decide el tamaño de la imagen que plasmarás sobre el papel cuadriculado. Este sólo será el tamaño de la labor final si el papel cuadriculado coincide con el tamaño de los puntos de la tela. Por ejemplo, si una imagen mide 15 x 7,5 cm sobre una tela Aida 14 (es decir, 14 cuadrados por 25 mm), cubrirá 84 x 42 cuadrados de la tela.

Así pues, en un papel cuadriculado con 10 cuadrados por 25 mm, el gráfico para la imagen medirá aproximadamente 21,5 x 10,5 cm. Este es el tamaño que debe tener tu imagen para trabajar con esta técnica.

Amplía o reduce la imagen según el tamaño del gráfico (páginas 96-97).

2 Dale la vuelta al dibujo y utiliza un lápiz de tono claro para pintar suavemente por encima del revés de todas las líneas trazadas.

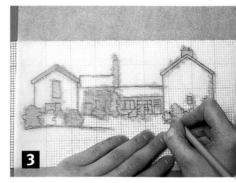

3 Fija el papel cuadriculado a la superficie de trabajo con la cinta adhesiva. Gira el dibujo y céntralo boca arriba sobre el papel cuadriculado, intentando solapar las líneas horizontales y verticales con la mayor exactitud posible. Si la imagen está distorsionada (como suele ocurrir con las fotografías) o incompleta, intenta hacer coincidir una hilera horizontal o vertical importantes del centro de la imagen. Fija el dibujo con la cinta adhesiva. Utiliza el lápiz de tono oscuro para reseguir el contorno del diseño y calcarlo sobre el papel cuadriculado.

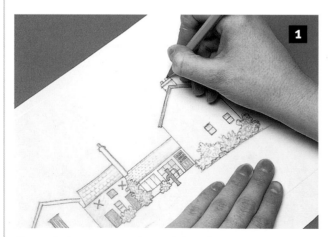

1 Fija la imagen con el papel de calco por encima sobre una superficie lisa y firme con cinta adhesiva protectora. Utiliza un lápiz de tono oscuro para perfilar el diseño, marcando todos los contornos.

4 Retira el dibujo y utiliza un lápiz de tono oscuro para volver a dibujar el contorno de la imagen sobre las líneas del gráfico. Simplifica la imagen y convierte las curvas en líneas rectas o escalonadas. Sustituye las líneas inclinadas por líneas escalonadas regulares. Marca los contornos y las puntadas parciales (página 69). Piensa en la mejor forma de interpretar los diferentes elementos, como el follaje y el enladrillado.

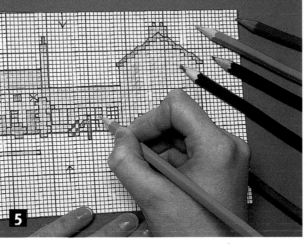

5 Cuando estés conforme con las líneas que perfilan la imagen, repásalas de nuevo con un rotulador de punta fina y luego borra todos los trazos a lápiz.

Colorea con suavidad las diferentes zonas con lápices de colores para poder ver las líneas del gráfico. Los colores no tienen que ser exactos, ya que sólo son un indicador de los colores de los hilos que se van a utilizar. A veces, es útil indicar las diferencias entre dos tonos similares (por ejemplo, dos tonos de verde) y pintarlos con colores bien diferenciados, para ver la diferencia con facilidad.

7 Interpreta los colores de tu gráfico según convenga. Una fotografía te ayudará, incluso cuando se haya hecho por un motivo bastante distinto. En este dibujo, los ladrillos se bordaron mezclando tonos de terracota y marrón dorado, se utilizaron dos tonos de gris para perfilar el empizarrado y negro para bordar las puertas y el contorno del tejado de la derecha. Se añadieron nudos franceses en algunos arbustos y plantas trepadoras y las golondrinas se bordaron con nudos franceses y pequeños puntos lineales.

6 Cuenta los cuadrados en el gráfico para encontrar el punto central e indícalo con flechas.

CONSEJOS PARA USAR PROGRAMAS INFORMÁTICOS

Cada programa informático funciona de manera diferente, así que has de seguir las instrucciones. ¡Y no te olvides del botón «Ayuda»!

En general, sigue este método de trabajo:

1 Selecciona los colores que deseas utilizar de la amplia gama de colores de la paleta. Estos colores pueden mantenerse en pantalla para que sólo tengas que hacer clic sobre el color cuando quieras usarlo.

2 Decide cuantos cuadrados del gráfico necesitas en cada dirección para que la imagen tenga el tamaño deseado sobre la tela o el cañamazo a utilizar. Dicho tamaño no tiene nada que ver con el de la imagen en pantalla, ya que cuanto más pequeño sea el dibujo, más grande lo puedes visionar en pantalla, para poder usar el ratón con precisión. Para imágenes más grandes, puedes utilizar el zoom para ver toda o parte de la imagen en cualquier tamaño.

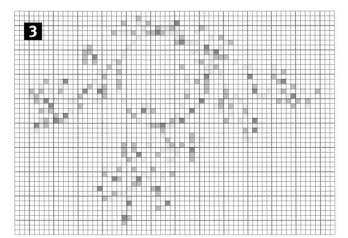

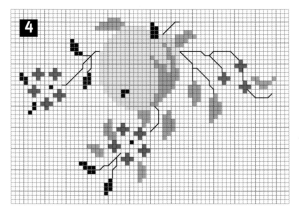

5 Añade puntos parciales o detalles como los nudos franceses. Utiliza la opción de eliminar para eliminar los trazos del esbozo o imagen escaneada original. Este paso resulta sencillo si el dibujo original se ha pintado con colores que hacen contraste.

En este gráfico, algunos de los puntos rectos abarcan un ángulo de dos cuadrados del gráfico para suavizar el contorno de la fruta. Dichos puntos se puede bordar con una puntada larga o con dos puntadas, metiendo la aguja en la mitad del lado de un cuadrado.

3 Si tienes un escáner, encanea la imagen al tamaño deseado. Es probable que no se parezca a lo que imaginabas. Puedes utilizar el ratón para precisar el contorno del dibujo. Rellena los cuadrados del gráfico con un color que haga contraste, no con el color del dibujo inicial, porque así te resultará más fácil eliminar las formas no deseadas más adelante.

4 Utiliza un color adecuado para perfilar las formas. Puedes perfilar el dibujo con líneas adicionales en color y de estilos distintos.

Leyenda

■ Amarillo
■ Verde
■ Rojo
■ Negro
• Nudo francés negro
⌐ Punto recto negro

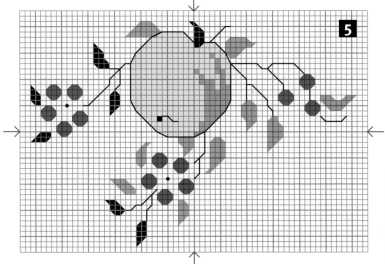

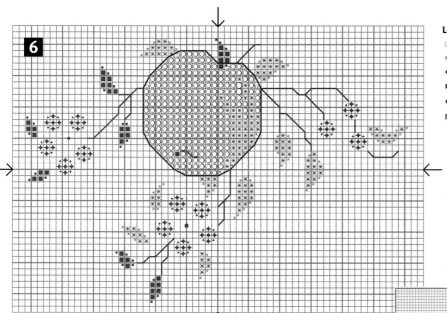

Leyenda
ο Amarillo
✳ Verde
✦ Rojo
■ Negro
● Nudo francés negro
⌐ Punto recto negro

CONSEJOS

• *Si tu primer gráfico no es correcto del todo, no lo borres ni lo cambies. Cópialo en pantalla y modifica la copia.*

• *Guarda todas las versiones diferentes en la misma página o en otra. De esta manera, podrás volver a una versión anterior y modificarla.*

6 A continuación, puedes imprimir el gráfico en color o con símbolos en blanco y negro. Quizás tengas que cambiar algunos colores para que resulten más sencillos de interpretar. Selecciona símbolos que se puedan distinguir fácilmente y faciliten la interpretación del gráfico, como puntos negros para representar el negro o círculos vacíos para representar el blanco. Los gráficos grandes se pueden imprimir en varias páginas y a continuación unirse con cinta adhesiva. Imprime también la leyenda de los colores o símbolos.

Leyenda
▫ Amarillo
▪ Verde
◼ Rojo
■ Negro
● Nudo francés negro
⌐ Punto recto negro

7 Normalmente, los programas de diseños a punto de cruz incluyen las opciones de seleccionar, copiar, pegar, reflejar y girar. Con estos botones, puedes crear varios tipos de patrones de repetición, como los de las páginas 85-87. Prueba las demás opciones de tu programa, como el centrado automático, la creación de letras y la impresión de un fax de un bordado terminado.

Plantillas no cuadriculadas

Algunos tejidos, como el punto de media (página 91), tienen una plantilla regular que no está compuesta por cuadrados sino por rectángulos. Diseña el dibujo de acuerdo con la plantilla que vayas a utilizar.

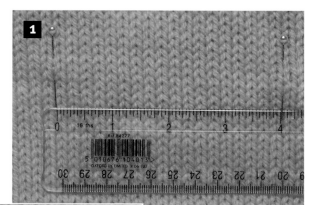

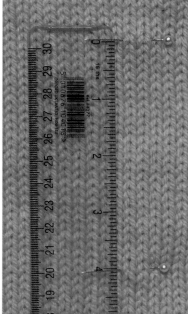

1 En primer lugar, mide el calibre del punto o de la tela. Cuenta a lo ancho y a lo largo el número de agujeros (puntos) por cada 10 cm de tela.

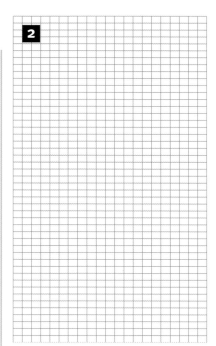

2 Dibuja a mano la correspondiente plantilla midiéndolo todo cuidadosamente o utiliza un programa de dibujo por ordenador.

Esta plantilla es adecuada para bordar punto de media de 18 puntos y 24 hileras por cada 10 cm o cualquier calibre con un porcentaje similar de puntos por hileras.

En la página 137 se muestra el gato bordado a punto de cruz.

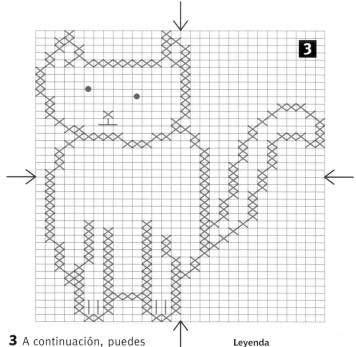

3 A continuación, puedes preparar una rejilla de acetato (página 102) o dibujar tu propio gráfico.

Leyenda
✕ Naranja
● Nudo francés verde
└ Punto recto naranja

Gráficos para Hardanger

Empieza la labor dibujando con un lápiz sobre papel cuadriculado o trabaja con ordenador. Con los programas de diseño de punto de cruz, puedes crear símbolos para cada tipo de punto (bloques de punto lanzado, barras y rellenos) y a continuación copiarlos y pegarlos según convenga.

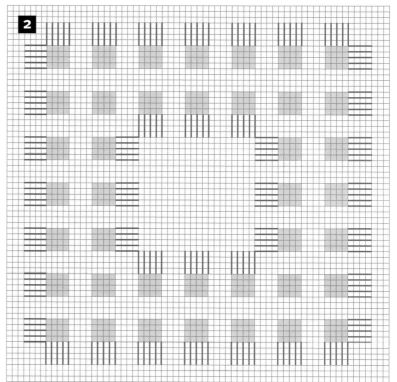

2 Hay que indicar donde se ubicarán los espacios cuando se hayan retirado y cortado los hilos.

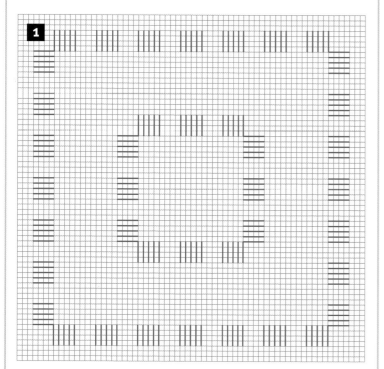

1 Marca las principales zonas del dibujo, perfilándolas con bloques de punto lanzado. La dirección de los bloques de punto lanzado es muy importante para calcular donde se cortarán los hilos.

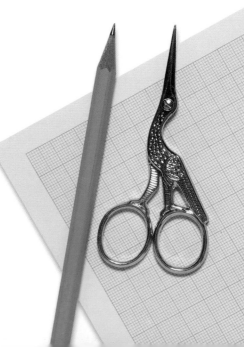

3

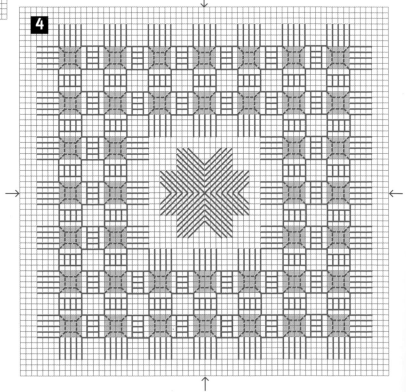

3 Utiliza símbolos para indicar los puntos de zurcido y los rellenos. Los programas informáticos de punto de cruz te ayudarán a dibujarlos.

Leyenda

 Bloque a punto lanzado

 Punto de zurcido

 Relleno a punto de espíritu oblicuo

 Punto lanzado

4 Añade detalles usando otros puntos como el punto lanzado, el punto de cruz, los nudos franceses o el punto de ojal. Marca las líneas centrales.

4

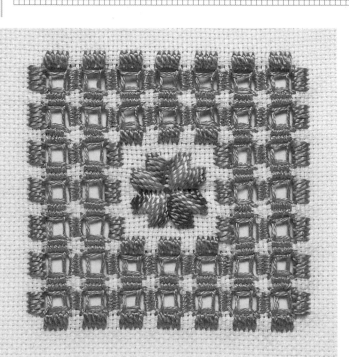

Hacer gráficos repetitivos, ribetes y esquinas

En las páginas 85-87 encontrarás una descripción detallada de los distintos tipos de dibujos de repetición. Si trabajas con ordenador, puedes copiar, pegar, reflejar o girar las imágenes para poder decidir la forma exacta deseada. Si trabajas con papel cuadriculado, utiliza las técnicas descritas a continuación.

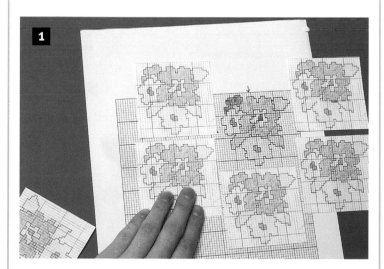

1 Para visualizar cómo se verá una imagen o un gráfico una vez repetido, fotocópialo varias veces y coloca las imágenes una al lado de otra, según convenga.

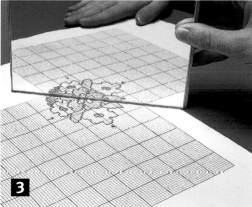

2 Para visualizar una imagen invertida, emplea un pequeño espejo.

3 También puedes utilizar un espejo para diseñar las equinas de un ribete.

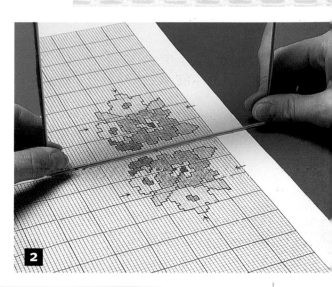

4 Con dos espejos unidos con cinta adhesiva podrás diseñar la repetición de un dibujo por cuartos.

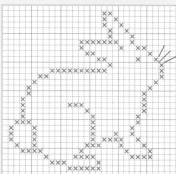

DIRECTRICES PARA COSER

Para conseguir una labor con un buen acabado, sigue estas directrices aplicables a cualquier proyecto de costura.

1 Lava las telas que podrían encoger antes de comenzar la labor. Plancha todas las telas para alisarlas antes de empezar a cortar.

2 Para obtener bordes rectos, corta la tela Aida y el cañamazo resiguiendo las hileras de agujeros. Con otras telas, como el lino, corta la tela resiguiendo el hilo de la misma.

3 Para evitar que la tela se deshilache, sobrehila o borda a máquina a punto de zigzag todos los bordes sin dobladillo.

4 Cose las costuras rectas resiguiendo la hilera de agujeros o el hilo de la tela. Sujeta con alfileres e hilvana antes de coser. Coloca el hilván lo más cerca posible de la línea de la costura, sin colocarlo justo encima. De esta forma, resulta más fácil retirarlo.

5 Para hacer un dobladillo doble, dobla y plancha un trozo de 6 mm del revés. A continuación, dobla de nuevo en torno a 12,5 mm, plancha, fija con alfileres e hilvana. Utiliza hilo de coser del mismo color de la tela para coser el dobladillo a mano, o borda los puntos lo más cerca posible del pliegue atravesando todas las capas de la tela para coser el dobladillo a máquina.

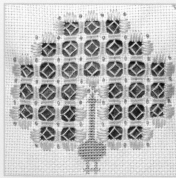

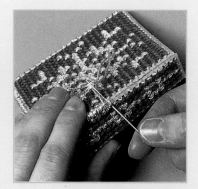

Presume de arte

Con los proyectos de este capítulo aprenderás a utilizar los bordados para decorar tu hogar con cuadros, labores para colgar en la pared u objetos más prácticos como cojines o mantelerías. Podrás crear regalos especiales y tarjetas de felicitación o personalizar toallas o prendas de vestir. Algunos de los dibujos incluyen los gráficos en este capítulo y otros utilizan gráficos que aparecen en otros capítulos del libro. Puedes adaptar cualquiera de los proyectos con tu propio dibujo, telas y/o hilos distintos para conseguir una labor única.

CAPÍTULO 5

Hacer tarjetas de felicitación personalizadas

Una tarjeta de felicitación hecha en casa aporta un toque personal a esa ocasión tan especial.

Existe una gran variedad de tipos en el mercado, con un sinfín de colores, formas y tamaños. También puedes pegar un bordado con flecos a una tarjeta.

TARJETA CON FLECOS

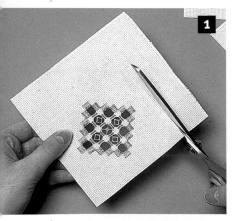

NECESITARÁS:
una hoja de cartulina de
  un tamaño adecuado
  para el bordado
  (aproximadamente de
  unos 10 x 10 cm)
un alfiler grande
una regla
un lápiz
un cuchillo para marcar
una cinta adhesiva de
  doble cara

1 Plancha el bordado y recorta los bordes para obtener el tamaño de la labor final (incluyendo los flecos) resiguiendo una línea de agujeros.

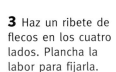

2 Decide la longitud de los ribetes de flecos en cada lado. Afloja los hilos con el alfiler y sácalos de uno en uno.

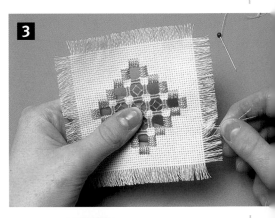

3 Haz un ribete de flecos en los cuatro lados. Plancha la labor para fijarla.

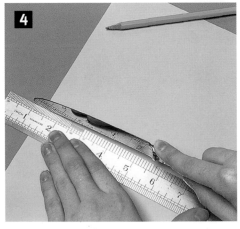

4 En el revés de la tarjeta, marca el centro de la cartulina. Utiliza una regla y la punta de un cuchillo sin afilar para trazar una línea en ese punto.

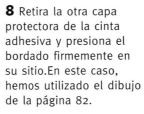

5 Dobla la tarjeta por la mitad.

8 Retira la otra capa protectora de la cinta adhesiva y presiona el bordado firmemente en su sitio.En este caso, hemos utilizado el dibujo de la página 82.

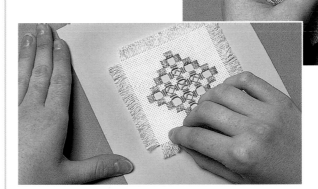

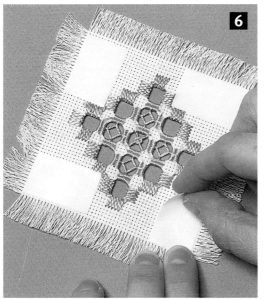

6 Pega algún trozo de cinta adhesiva de doble cara en el revés del bordado, resiguiendo el borde del ribete de flecos. No retires la otra capa protectora de la cinta adhesiva.

▶ Esta tarjeta de felicitación con un dibujo Hardanger es perfecta para cualquier ocasión.

7 Coloca el bordado en la posición deseada y marca las esquinas sobre la cartulina con un lápiz.

NOTA
• *Para deshilachar los bordes del bordado como se ha indicado, debe haber al menos 12,5 mm de tela sin puntadas alrededor de dibujo bordado.*

TARJETA CON ABERTURA

NECESITARÁS:
una tarjeta con abertura
   adecuada para
   el bordado
una cinta adhesiva
   de doble cara
una guata fina que
   encaje en la abertura
un rotulador especial
   para marcar telas

1 Abre la tarjeta y coloca la abertura sobre la guata. Marca la abertura sobre la guata, sin manchar la tarjeta.

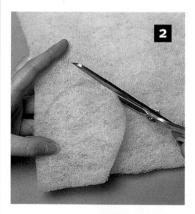

2 Recorta la guata por el interior de la línea marcada.

3 Cierra la tarjeta y coloca un poco de cinta adhesiva de doble cara en el centro de la abertura. Retira la capa protectora de la cinta adhesiva.

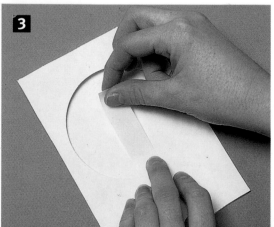

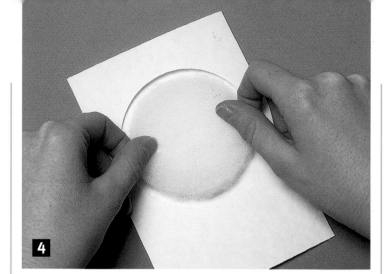

4 Coloca la guata en la abertura.

5 En el revés de la tarjeta, coloca unos trozos de cinta adhesiva de doble cara alrededor de la abertura. En caso de que sea necesario, corta los trozos a lo largo para hacerlos más estrechos. Retira la capa protectora de la cinta.

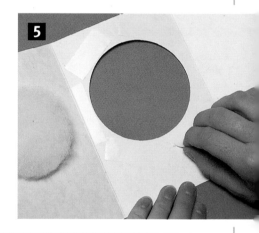

6 Coloca la abertura sobre el bordado en el lugar adecuado y presiona.

7 Gira la tarjeta y coloca más cinta adhesiva de doble cara alrededor de la abertura, cerca de los bordes.

8 Retira la capa protectora y presiona alrededor de la zona de la abertura con la guata. Este dibujo aparece en el gráfico de la página 88.

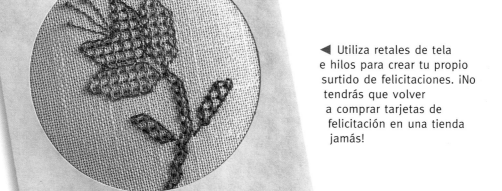

◀ Utiliza retales de tela e hilos para crear tu propio surtido de felicitaciones. ¡No tendrás que volver a comprar tarjetas de felicitación en una tienda jamás!

NOTAS

- *La tela del bordado debería ser unos 6 mm más pequeña que la cara frontal de la tarjeta.*
- *La guata es opcional, pero ofrece una dimensión adicional al efecto final.*

Cómo enmarcar un bordado

Cuando enmarques bordados bajo vidrio es aconsejable que uses un paspartú para que el vidrio no toque la superficie bordada. Elige el color del cartón y la forma de acuerdo al bordado. La tela deberá ser al menos 25 mm más grande que el borde interior del paspartú. La colocaremos estirada por la parte posterior de la cartulina y la fijaremos bien para conservar la labor plana.

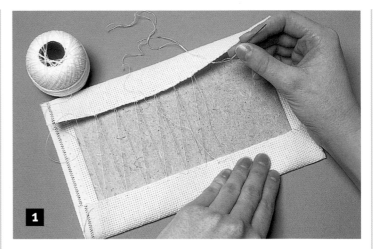

1 Extiende el bordado del revés sobre una superficie plana. Coloca el soporte en el centro.
   Dobla dos caras opuestas de la tela sobre los bordes del soporte. Enhebra la aguja desde el carrete (sin cortar el hilo) y enlaza los dos extremos de la tela como se muestra en el dibujo, con el hilo que haga falta del carrete.

NECESITARÁS:
un marco a la medida con vidrio, soporte y paspartú
una aguja de coser
un hilo fuerte

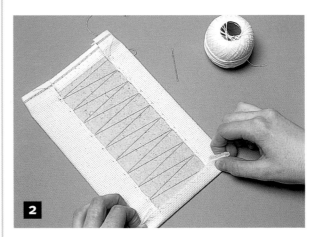

2 Sujétalo con dos o tres pespuntes firmes. Corta el hilo del extremo del carrete y deja un hilo suelto largo.
   Dobla las otras dos caras de la tela, cuadrando las esquinas netamente, tan planas como puedas. Enlaza estas dos caras de la misma forma.

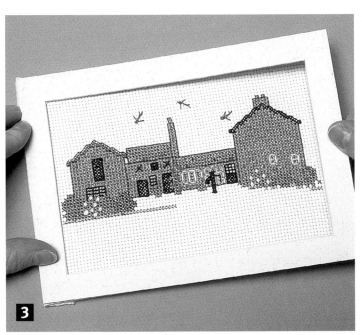

3

4

4 Coloca el derecho del marco sobre una superficie plana. Limpia el vidrio y ponlo en el marco. Pon el paspartú y el bordado. Si el marco es bastante profundo, puedes añadir otra cartulina o soporte por detrás para ocultar las lazadas. Dobla hacia abajo los herretes para sujetar todas las capas en su sitio (o usa chin-chetas clavadas a los lados del marco).

3 Dale la vuelta a la labor y comprueba su posición: ajústala colocando el bordado en el centro (hazlo con el paspartú) y asegura los extremos de los hilos.

▶ Borda un cuadro de la casa de un amigo para hacerle un regalo muy especial.

Hacer un tapiz

Un tapiz bordado en tela o cañamazo puede

forrarse y colgarse con lazos de un palo.

Si la tela lo permite, se puede hacer

un fleco en el borde inferior y añadir

nudos o cuentas como adorno.

NECESITARÁS:

un bordado con al
   menos 10 cm de tela
   extra por debajo para
   el fleco
forro de tela, del
   mismo tamaño que
   el bordado
trenzas o cintas para los
   lazos (unos 10 cm por
   lazo)
hilo de seda a juego
   con la tela del bordado
un palo de unos 18 mm
   de diámetro, cuya
   longitud sea un poco
   mayor que la anchura
   del bordado
un cordón unos
   15 cm más largo que
   el palo
aguja de bordar
aguja de coser
cuentas con agujeros
   grandes

NOTAS
• Para un tapiz grande o
  pesado, usa un palo más
  grueso y más lazos.
• Comprueba si la tela del
  forro se ve a través del
  bordado

Clave Gráfico del bordado

▪ Punto de cruz rosa
• Nudo francés rosa
╱┐ Punto negro Holbeinh

Nuestro tapiz se hará a partir de este gráfico: puedes sustituir las iniciales por otras según el alfabeto de la página 48. Usaremos tela Aida 10 blanca de 25 x 37,5 cm, con algodón perlé rosa nº 5 para el punto de cruz y los nudos franceses, y algodón negro de bordar para los puntos Holbein. Sigue las normas generales para el bordado de Asís de las páginas 74-75.

1 Corta el bordado a la medida resiguiendo los agujeros, y deja 1,25 cm para las costuras de los bordes arriba y a los lados, y al menos 10 cm para los flecos del borde inferior. Marca el borde superior del fleco con un hilván.

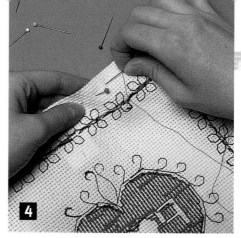

4 Coloca el bordado y el forro con los derechos enfrentados y con los lazos dentro, cuadrando los bordes superior y lateral. Sujeta con alfileres e hilvana.

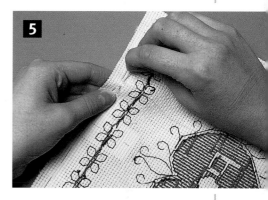

5 Usa máquina de coser o pespunte a juego en los tres lados, trabajando desde la cara bordada y resiguiendo las hileras de agujeros en línea recta.

2 Corta la tela del forro de mismo tamaño, con 8,8 cm menos por el borde inferior: el forro se volverá del revés 1,25 cm en el borde inferior, para coincidir con lo alto del fleco. (Para un tapiz sin fleco, corta el forro del mismo tamaño que el bordado.)

3 Corta tres largos de trenza o cinta, o los que hagan falta, dobla cada pieza formando un lazo y préndelo con alfileres e hilvánalo en el borde superior del derecho del forro, a igual distancia y evitando hacer costuras a los lados.

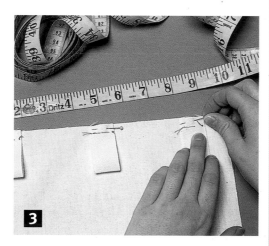

6 Corta las esquinas superiores cerca de la costura.

7 Plancha 1,25 cm de forro en el borde inferior al revés, así coincidirá con el hilván que marca el fleco. (Para un tapiz sin fleco, plancha ambas costuras del revés.)

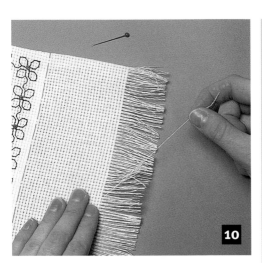

10 Para el fleco, empieza en el borde suelto, aflojando cada hilo horizontal con una aguja, y luego sácalos con cuidado. Quita todos los hilos horizontales hasta el hilván.

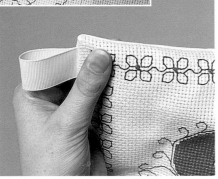

8 Vuélve la pieza del derecho. Elimina las esquinas con una aguja de media. Plancha.

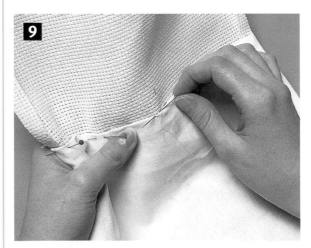

9 Sujeta con alfileres el borde inferior del forro en su lugar, justo encima de hilván del fleco, y cóselo a mano. (Para una banderola sin fleco, sujeta ambos bordes inferiores juntos y cóselos igual.) Luego plancha.

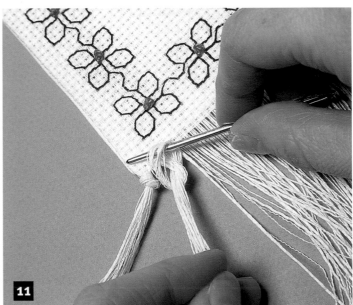

11 Divide el fleco en haces iguales. Anuda cada haz con un nudo corredizo, y lleva el nudo a su lugar con una aguja larga de bordar.

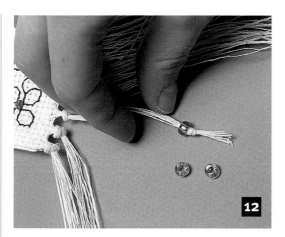

12 Si lo deseas, enhebra una cuenta en cada haz y haz otro nudo cerca del final del fleco.

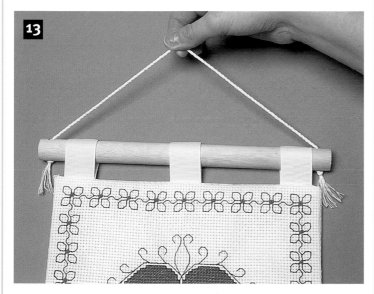

13 Taladra un agujero a 1,25 cm de cada extremo del palo, para fijar el cordel. Enhebra el palo a través de los lazos, pasa los extremos del cordel a través de los agujeros del palo y haz un nudo al final del cordel. Puedes añadir cuentas a los extremos del cordel o deshilacharlos para formar pequeños flecos. Cuelga el tapiz acabado por la cuerda y si hace falta corta los extremos de los flecos para nivelarlos.

▲ Borda el tapiz con tus iniciales (a partir del gráfico de la página 46) para un regalo de aniversario de bodas.

Bordar una funda de cojín

Una funda de cojín es una buena forma de mostrar el trabajo, el bordado durará más tiempo, resistirá desgaste y desgarrones, y podrá ser metido en la lavadora o lavado en seco.

Este sencillo cojín tiene un solapamiento detrás, no necesita cremalleras ni broches.

Un pequeño tapiz bordado en tela o cañamazo puede montarse sobre una pieza más grande de tela, como vemos aquí. Además, puedes adornar el tapiz como gustes.

NECESITARÁS (para un cojín de 45 x 45 cm):
tapiz bordado
tela lisa de 40 x 10 cm
hilo de seda a juego con la tela
una aguja de coser
cinta métrica o regla

NOTAS
- *Para un cojín de otro tamaño, tendrás que medir la tela: la altura del cojín más 2,5 cm x dos veces la anchura más 20 cm. Este tamaño dejará 1,25 cm para costuras y una solapa de unos 15 cm en el centro por debajo.*
- *Elige una tela de grosor a juego con el bordado. Para bordar en cañamazo es aconsejable una tela bastante gruesa.*

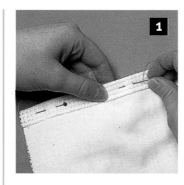

Para bordar en tela

1 Vuelve los bordes del bordado hacia abajo 1,25 cm en todo el contorno y plancha. Si la tela del cojín tiene un color muy contrastado, puede que necesites una base de tela lisa: córtala del mismo tamaño que el tapiz e hilvánala junto a él.

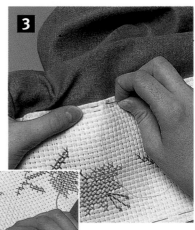

2 Para buscar el centro de la tela dóblala por la mitad en una dirección y plancha la doblez ligeramente. Repite lo mismo en la otra dirección y marca el centro donde las dos dobleces se cruzan. Si el bordado tiene líneas de centro, puedes alinearlas con las dobleces si lo deseas. Sujeta con alfileres e hilvana el tapiz sobre la tela.

3 Cose a máquina o haz un pespunte alrededor con hilo de máquina.

4 Añade un borde decorativo si lo deseas (aquí usamos el punto de escapulario o cruzado [página 32])

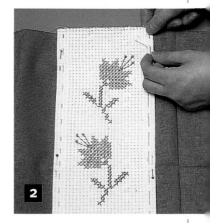

Para bordar en cañamazo

Corta el tapiz dándole unos 6 mm más por los lados que el área bordada, y pinta los bordes con una solución antideshilachado. Déjalo secar. Sujeta con agujas e hilvana la pieza en su sitio. Haz luego un punto decorativo alrededor (como el punto de ojal que se usa aquí), bordando a través de ambas capas para cubrir los bordes del tapiz. Usa una aguja de coser crewel y sitúa los puntos equidistantes a ambos lados del cañamazo. Como alternativa, puedes cubrir los bordes con tiras de cinta o tela trenzada.

Preparación de la tela

1 Empieza cosiendo un pequeño dobladillo en el revés de los lados cortos de la tela.

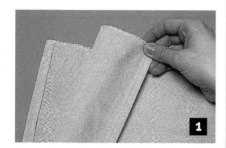

2 Coloca la tela con el derecho hacia arriba en una superficie plana. Dobla los lados cortos por igual y solápalos para dejar un sobrante de 3,8 cm (o el ancho requerido).

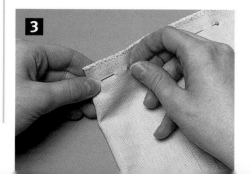

3 Sujeta con alfileres las dos capas de los bordes superior e inferior. La costura debe estar a 1,25 cm del borde.

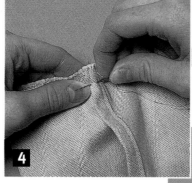

4 Cose a máquina o pespunte las costuras superior e inferior.

5 Corta las esquinas.

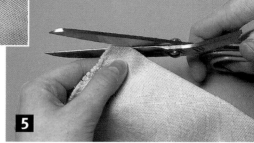

6 Vuelve la tela del derecho. Saca las esquinas con una aguja de media o similar. Plancha e inserta el relleno del cojín.

▲ El tapiz a punto gobelino se ha hecho a partir de los diseños pintados en cañamazo de la página 100. El diseño a punto de cruz ha sido adaptado del gráfico de la página 88 y trabajado en algodón perlé número 5 sobre tela Binca de 6 cuentas.

Un bonito alfiletero

Vamos a hacer un pequeño bordado

para un alfiletero, un gran regalo para

un amigo de

la costura.

NECESITARÁS:
bordado en torno
a 12,5 x 12,5 cm,
incluyendo un
margen de 1,25 cm
alrededor
tela posterior del
mismo tamaño
60 cm de cordel
o trenza
relleno como el de los
juguetes o kapok
hilo de seda a juego
con la tela
aguja afilada

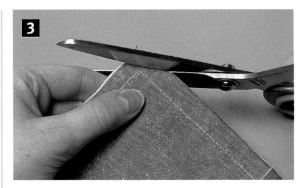

3 Quita el hilván. Corta
las esquinas junto a la
costura.

4 Plancha los márgenes
del lado de la abertura
hacia el revés, aplastando
bien las dobleces.

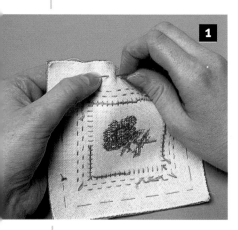

1 Corta la parte
posterior de la tela
del mismo tamaño
que el bordado.
Coloca el bordado
y la tela inferior
con los derechos
enfrentados, sujeta
con alfileres e
hilvana junto a los
bordes dejando un
margen de 1,25 cm.

2 Cose a máquina o haz un pespunte,
dejando un hueco de 7,5 cm en el centro
de uno de los lados.

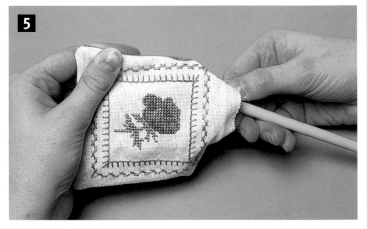

5 Vuelve del derecho la labor. Usa una aguja larga (como las de
media) para sacar bien las esquinas.

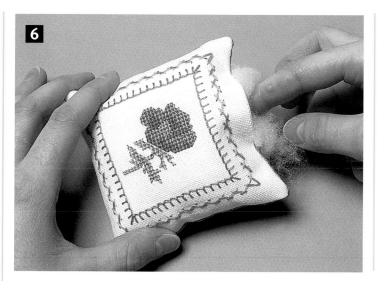

6 Introduce el relleno, y piensa que un alfiletero debe ser rellenado con firmeza.

8 Haz un lazo en el centro del cordel y sujétalo con agujas en una esquina. Luego sujeta los extremos del cordel en torno a los lados para tapar la costura, hasta llegar a la esquina opuesta. Cose el cordel a mano.

9 Haz un nudo simple con los extremos del cordel y cóselo al alfiletero. Corta los extremos dejando 3,75 cm y deshiláchalo en forma de fleco.

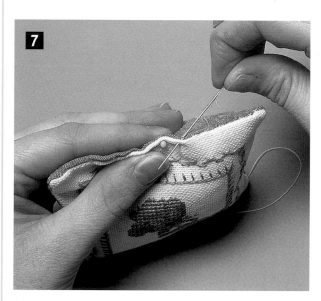

7 Cose la abertura con hilo de máquina de coser.

▶ El diseño de este alfiletero se ha hecho según el gráfico de la página 103, con un borde a punto de escapulario (página 32) y punto de festón (página 53).

Un marco de espejo

El cañamazo de plástico se usa para proyectos como este marco de espejo: las esquinas no requieren dobladillos, y el cañamazo ha de conservar la forma sin soporte.

NOTAS

- El cañamazo de plástico ha de ser al menos 1 cm más grande a los lados que el vidrio del espejo. Si prefieres dibujar tu propio diseño o usar cañamazo de otro calibre, cuenta bien el número de agujeros o hilos que necesitarás. En los bordes exteriores, el número de hilos ha de ser uno más que de agujeros. Para ajustar el tamaño, es mejor que haya cañamazo sobrante.
- El fieltro ha de ser unos 6 mm más grande que el vidrio del espejo.

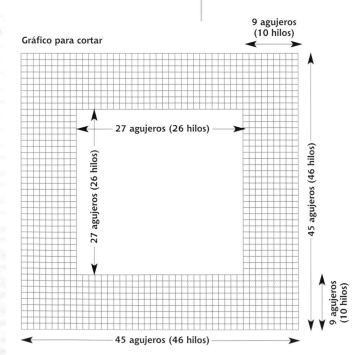

Gráfico para bordar

Clave

Punto argelino rojo grande

Punto argelino rosa grande

Punto Holbein plata

Punto festón plata

NECESITARÁS (para adaptar a un espejo de 15 x 15 cm):

cañamazo de plástico del número 6 de 17 x 17 cm
hilo (lana) de bordar
aguja de bordar
cinta de 15 cm
fieltro para el dorso del espejo de 16 x 16 cm
hilo de seda a juego con el fieltro
aguja de coser
rotulador
tijeras grandes y pequeñas

Gráfico para cortar

9 agujeros (10 hilos)

27 agujeros (26 hilos)

27 agujeros (26 hilos)

45 agujeros (46 hilos)

9 agujeros (10 hilos)

45 agujeros (46 hilos)

Haz este diseño como una repetición a cuartos (página 87), manteniendo la dirección del punto constante. El punto argelino grande se hace en la misma dirección que el punto argelino (página 52), pero sobre un cuadrado de cuatro hilos en cada dirección, con 16 puntos cruzados a través del agujero central.

Este marco se hará en cañamazo de plástico número 7, y usaremos lana de tapicería roja y rosa, con hilo de coser lúrex simple para el punto Holbein y doble para el punto de festón.

Haz el punto de estrella grande en rojo y rosa, y luego el punto Holbein (página 31) en lúrex plata. Por último, haz el punto de festón para los acabados (página 53) usando el lúrex doble plata.

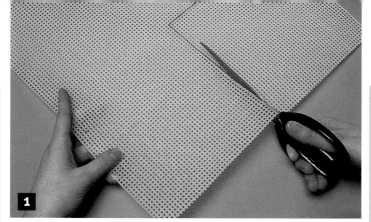

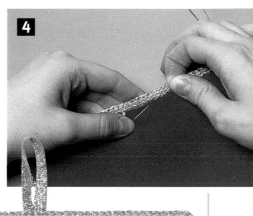

1 Cuenta bien los agujeros y los hilos, marca el diseño en el cañamazo de plástico con el rotulador de fieltro y a continuación corta el gráfico.

Corta el cañamazo de plástico con unas tijeras grandes, a lo largo de los agujeros.

4 Sujeta con alfileres el dorso del marco y haz enseguida un ribete a punto de festón.

Usa hilo de coser a juego para coser los laterales y el borde inferior, y deja el lado superior abierto.

5 Inserta el vidrio del espejo. Ahora puedes coser el borde superior si lo deseas.

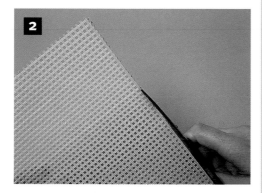

2 Usa las tijeras pequeñas para cortar del todo los nudos pequeños, y deja los bordes lisos.

3 Haz el bordado según el gráfico. Dobla la trenza por la mitad y haz un lazo para colgar y cóselo detrás del marco en el centro del borde superior.

▲ Cose el marco del espejo con los colores que prefieras

CONSEJO *También puedes usar el marco para una fotografía. Coloca la foto sobre un soporte de 15 x 15 cm de cartón duro y protégela con una lámina de acetato transparente.*

Una caja nevada

El cañamazo de plástico también pude usarse en objetos de tres dimensiones, como esta caja de copos de nieve.

Cuenta cuadros e hilos con atención. Cada cuadro en el gráfico representa un punto de cruz en el cañamazo. El número de hilos será siempre uno más que el de agujeros para que el punto de cruz quede rodeado de un borde sólido.

Marca las piezas en el cañamazo con un rotulador con punta de fieltro, recórtalas y apura los bordes como en los pasos 1 y 2 de la página 129.

NECESITARÁS:

cañamazo de plástico
del número 7,
de 25 x 30 cm
hilo de plástico
de dos colores
aguja de bordar
tijeras grandes
y pequeñas
rotulador con punta
de fieltro
cola para las uniones
del fieltro y la tela

La caja se hará en cañamazo de plástico 7 y medirá 8,5 x 8,5 x 6 cm. Usaremos lana de color lila para el color principal e hilo lúrex de 4 cabos para el contraste, que será doble para el punto de cruz y los puntos de las uniones, y simple para el pespunte. El forro de fieltro es opcional. Para una caja pequeña, puedes usar el mismo diseño en cañamazo plástico de calibre 10 con los hilos adecuados. También puedes usar los contornos de las piezas para hacer una caja con otro diseño: fíjate en que la base es un pequeño cuadrado más pequeño que la tapa.

← 23 agujeros (24 hilos) →

23 agujeros (24 hilos)

PARTE SUPERIOR: haz 1

7 agujeros (8 hilos)

PARTE LATERAl: haz 4

16 agujeros (17 hilos)

PARTE BASE: haz 4

21 agujeros (22 hilos)

BASE: haz 1

← 21 agujeros (22 hilos) →

Clave
- ■ Lila
- ■ Plata
- ⌐ Prespunte plata
- ⌐ Linea de corte

1 Haz todos los puntos de cruz y los pespuntes en todas las piezas. Para las líneas de las cajas, pon la base y las cuatro caras de la base sobre el fieltro y haz un recuadro alrededor.

CONSEJO *Es mejor hacer el punto de cruz primero y luego recortar las piezas, pues es más fácil trabajar sobre una pieza pequeña de cañamazo de plástico.*

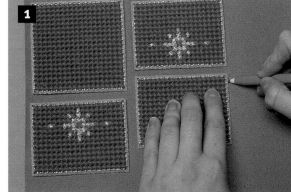

2 Corta el fieltro por las líneas marcadas, de modo que las piezas de fieltro sean un hilo más pequeñas en derredor que las piezas de cañamazo.

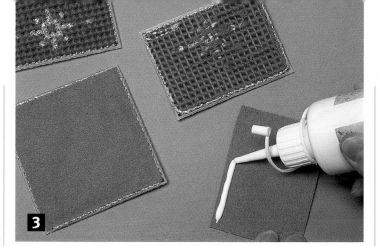

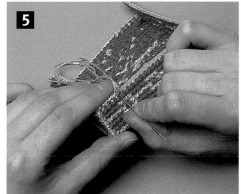

3 Pon una línea de cola alrededor del borde de cada pieza de fieltro y fíjalas en el revés del cañamazo bordado. Déjalas secar. (Si lo prefieres, puedes coser el fieltro por detrás del bordado.) Puedes hacer lo mismo con las piezas de la tapa si lo deseas.

5 Usa el mismo hilo plástico para hilar el borde inferior de la tapa, cubriendo el plástico del todo.

6 Une las cinco piezas para acabar la base de la caja del mismo modo.

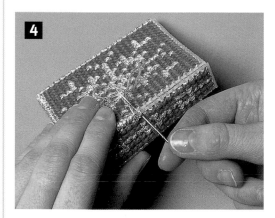

4 Para unir las piezas, usa hilo contrastado, empezando en una esquina de encima de la tapa. Coloca una de las piezas laterales de la tapa, ajusta los agujeros de los bordes y pasa dos veces el hilo a través de cada par de agujeros a partir de la esquina. El borde del plástico debe quedar cubierto con los puntos. Coloca la pieza lateral contigua y une los bordes cortos de la parte inferior a la esquina. Ciérrala con el hilo de plástico. Usa otro hilo de plástico en la esquina por encima de la tapa para coser el segundo lado de la misma. Continúa así hasta que la tapa esté completa.

◀ Llena la caja de caramelos de todas clases o úsala para presentar un regalo especial.

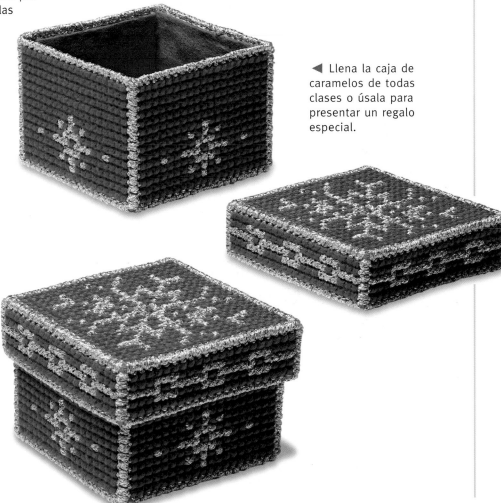

Enmarcar una foto

El papel perforado, como el cañamazo de plástico, puede cortarse sin tocar los bordes, para que no se deshilachen. También puede ser pintado, como en este caso: use pintura acrílica y asegúrese de que está seco antes de empezar a bordar.

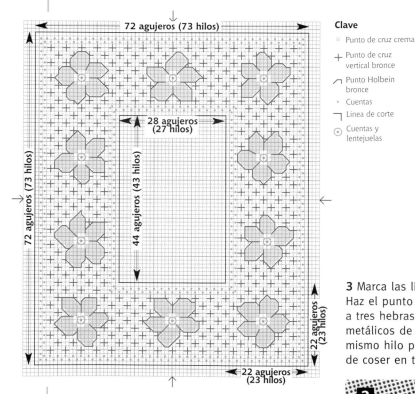

72 agujeros (73 hilos)

28 agujeros (27 hilos)

72 agujeros (73 hilos)

44 agujeros (43 hilos)

22 agujeros (23 hilos)

22 agujeros (23 hilos)

Clave
- Punto de cruz crema
- + Punto de cruz vertical bronce
- ⌐ Punto Holbein bronce
- · Cuentas
- ⌐ Línea de corte
- ⊙ Cuentas y lentejuelas

Este marco está hecho en papel perforado de 14 cuentas, y mide 15,5 x 12,5 cm, con una abertura para colocar la foto de 8 x 5 cm. Usaremos papel crema, pintado con pintura de barco dorada; viscosa crema e hilos metálicos de bronce, con pequeñas cuentas de bronce y lentejuelas doradas.

NECESITARÁS:
papel perforado de 14 cuentas para el bordado
unas 400 cuentas pequeñas
10 lentejuelas
hilo de seda que armonice con el papel
aguja de bordar pequeña
tarjeta pequeña en un color a tono
15 cm de cordón o trenza
una lámina de acetato transparente al menos 6 mm más grande que la fotografía
tijeras grandes y pequeñas
cinta adhesiva de papel
lápiz
regla metálica
cúter
cola de barco o celo de doble cara

1 Usa un lápiz para marcar las líneas de corte en el papel perforado (siguiendo los agujeros) según el gráfico y cuéntalas con cuidado.
Corta siguiendo las líneas marcadas a lápiz. Usa las tijeras largas y sigue los agujeros.

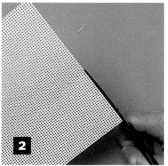

2 Usa las tijeras pequeñas para cortar los rabitos sobrantes de la misma forma que en el cañamazo (página 129).

3 Marca las líneas de centro con hilvanes de la forma usual. Haz el bordado. Haz el punto de cruz en hilo de viscosa color crema, con hebras que equivalgan a tres hebras de algodón. Haz los contornos a punto Holbein con hilos finos metálicos de bronce, con hebras que equivalgan a una hebra de algodón. Usa el mismo hilo para el dorso del diseño en punto de cruz vertical, y usa hilo de seda de coser en todas las cuentas. Procura coser cada cuenta sobre el lado recto de un cuadrado, no diagonalmente, salvo en los contornos de las esquinas.
Al hacer las lentejuelas, pasa la aguja hacia arriba a través del agujero, enhebra una lentejuela y una cuenta pequeña, inserta la aguja hacia abajo en la lentejuela y el mismo agujero en el papel. La cuenta sujetará la lentejuela en su lugar.

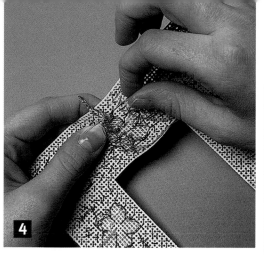

4 Dobla el cordón o la trenza por la mitad y cóselo en el centro de la parte superior del revés.

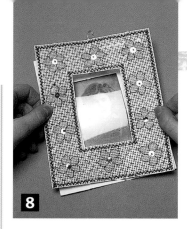

8 Usa cola o celo de doble cara para fijar el bordado a la cartulina. Si lo deseas, puedes fijar otra cartulina detrás para reforzar el marco y proteger la fotografía.

5 Corta una pieza de cartulina lisa del mismo tamaño que el bordado, pero con la ventana 3 mm más grande en todo el contorno.

◀ Hemos elegido hilos acordes con la fotografía sepia; para otro color de la fotografía elige tu propia gama de colores.

6 Fija el acetato sobre la ventana con cinta adhesiva, en el revés de la cartulina.

7 Usa celo de enmascarar para engastar la fotografía tras la ventana.

CONSEJOS

- *Sujeta el papel con suavidad cuando cosas para que no se arrugue: usa el método de pinchar de costura (página 64).*
- *No aprietes los puntos con demasiada fuerza o el papel se rasgará.*
- *Si has rasgado el papel, ¡no desesperes! Arréglalo con cinta adhesiva por el revés y usa una aguja de coser para perforar de nuevo los agujeros.*
- *Cuando diseñes para papel perforado, evita los puntos de cruz parciales: será imposible coser sin rasgar el papel. Evita también puntos como los de estrella, donde varios hilos pasan a través de un único agujero.*

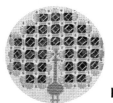

Un bolso pequeño

Usa esta técnica para convertir una pieza de tela bordada en un bolso o monedero. Usaremos una pieza de labor Hardanger, aunque servirían igual de punto de cruz o de labor en negro. El bolso mide 20 x 20 cm, pero puedes hacerlo como desees.

NECESITARÁS

un bordado para el frontal, de unos 22,5 x 22,5 cm (incluyendo 1,25 cm después de las costuras en todo el borde)

tela para la parte posterior, del mismo tamaño que el frontal

2 piezas de forro, del mismo tamaño que el frontal

hilo de seda a juego con la tela

aguja de coser

45 cm de cordón de mediano grosor o trenza para las asas

45 cm de cordón fino o trenza para los lazos

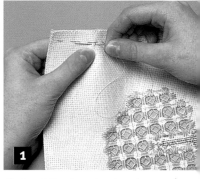

1 Con hilo de máquina de coser cose o haz un punto en zigzag a máquina en torno a los bordes de todas las piezas para evitar deshilachados. Sitúa las telas frontal y posterior con los derechos encarados. Sujeta con alfileres e hilvana tres de los lados, y deja el lado superior abierto. Cose a máquina o pespunta estos tres lados. Cose desde la cara bordada y sigue los agujeros.

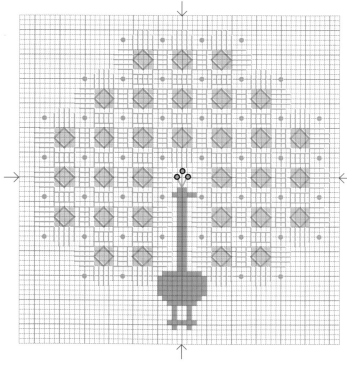

Clave

|||| Azul claro para el punto lanzado

Azul claro para zurcido

◇ Azul palido para el relleno a punto espiritu

■ Punto de cruz dorado

↓ Punto lineal dorado

◉ Nudo francés dorado

● Cuenta dorada

Este pavo real está hecho en Aida 14 blanca, con algodón perlé número 2 para los bloques de punto lanzado, hilo de algodón de máquina para las barras y los rellenos e hilo de viscosa dorado para el punto de cruz y los nudos franceses; las cuentas son ligeramente doradas. Mira las páginas 82-84 para las instrucciones sobre cómo bordar con puntos Hardanger.

Fíjate en los distintos largos de la hebra usada para los bloques de punto lanzado, que le dan un contorno menos geométrico.

CONSEJO *Para un buen color a juego, trenzamos los cordones del algodón perlé que usamos para el bordado. Para las asas, trenzamos nueve hebras en haces de tres, y para los cordones, tres hebras simples. Los extremos que se unirán al forro se coserán firmemente para proteger las puntas de los hilos, se pintarán con cola y se dejarán secar antes de cortar la hebra. En los extremos sueltos se hará un nudo y se cortarán para formar pequeños flecos.*

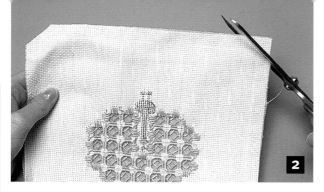

2 Quita el hilván. Corta las dos esquinas inferiores. Dobla del revés y plancha 1,25 cm en torno al borde superior abierto.

3 Vuelve el bolso del derecho. Saca las esquinas con una aguja de punto o de media, como se muestra en la página 126. Plancha las costuras.

4 Pon las dos piezas del forro con los derechos enfrentados. Sujétalas con agujas, hilvánalas y cóselas de la misma forma. Plancha las costuras laterales abiertas en el extremo superior y luego dobla y plancha del revés 1,25 cm en torno al borde superior abierto.

5 Cose los dos extremos del asa al forro en lo alto de las costuras laterales.

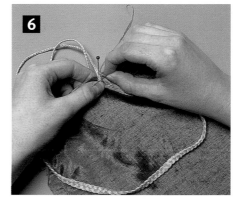

6 Corta el cordón por la mitad y cose los extremos a cada lado en la parte superior del forro.

7 Deja el forro del revés. Mete el forro dentro del bolso, haciendo coincidir las costuras laterales. Sujeta con alfileres e hilvana ambas capas en la parte superior abierta, luego cose el forro al bolso con hilo a juego con el forro.

▶ Haz un bolso para una ocasión especial, con un tapiz bordado de tu elección.

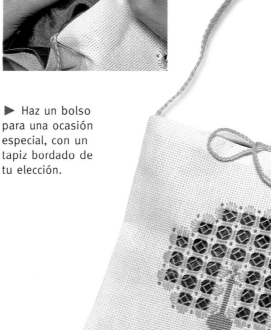

Labores rápidas

Ideas sencillas para regalar o para el hogar. La tela de lino es perfecta para un mantel, y puedes elegir cualquier diseño para decorarlo, o hacer tu propio diseño. Puedes personalizar artículos ya acabados como una toalla, un babero, un suéter, o usar estas técnicas en camisetas, ropa de baño, lino de cama, accesorios de cocina... todo lo que se te ocurra.

CONSEJO *Para artículos ya hechos, como prendas de vestir, almohadas o bolsas, planifica el bordado en un lugar accesible.*

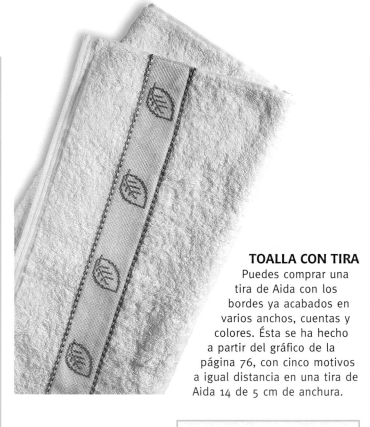

TOALLA CON TIRA
Puedes comprar una tira de Aida con los bordes ya acabados en varios anchos, cuentas y colores. Ésta se ha hecho a partir del gráfico de la página 76, con cinco motivos a igual distancia en una tira de Aida 14 de 5 cm de anchura.

SERVILLETA A JUEGO

Una servilleta se puede bordar con el motivo dibujado en la página 106. Usamos lino de 28 cuentas, y hacemos el punto de cruz sobre dos hilos en cada dirección, con hebras de algodón a juego con los colores del plato.

CONSEJOS
- *Corta la tira a la longitud requerida, y deja 1,25 cm en cada extremo para volver por debajo. Marca las líneas de centro de cada motivo y espacia los diseños repetidos por igual como en la página 85.*
- *Para trabajar en un aro, hilvana tela deshechable a cada lado de la tira.*
- *Cuando acabes, cose la tira en su sitio a mano o a máquina, y vuelve los extremos por debajo del final.*

CONSEJOS
- *Deja 2,5 cm para un dobladillo alrededor de la tela, y sitúa los motivos en consonancia.*
- *Al trabajar sobre un aro o un marco, es mejor hacer los diseños antes de quitar la tela.*
- *Haz el bordado primero, luego haz el dobladillo alrededor de la tela.*

DECORAR UN VESTIDO

Clave

✗ Punto de cruz azul

╱ Punto lineal o recto azul

Usaremos la técnica del cañamazo deshechable de la página 77, haciendo el bordado con hebra de algodón.

CONSEJOS

- *Cuando trabajes con una tela elástica, como material de camisetas, hilvana el cañamazo deshechable con firmeza. No es aconsejable usar un aro, pero puedes hacer la superficie más firme para bordar usando un autoadhesivo para estabilizar el bordado.*
- *Escoge hilo de hebra de algodón que sea resistente a lavados repetidos.*

PERSONALIZA UN SUÉTER

Este suéter de punto hecho a mano ha sido bordado con el gato del gráfico de la página 108, siguiendo las normas generales para bordados de punto de la página 91. Puedes decorar un suéter que hayas comprado de la misma forma.

Dibujo original de un niño

CONSEJO *Si eres tú quien hace el suéter de punto, es más fácil hacer el bordado antes de coserlo.*

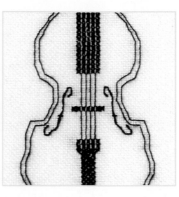

Galería

El punto de cruz y otros puntos sobre hilo tramado son tan versátiles que pueden ser usados de muchas formas diferentes. Actualmente, puedes elegir entre una amplia variedad de hilos, telas y otros materiales maravillosos y usarlos de la forma que te apetezca, con el único límite de tu imaginación.

CAPÍTULO 6

Galería

Algunas técnicas, como la labor en negro, se prestan por sí mismas a estilos formales y estilizados. Otras técnicas, como los puntos de cruz multicolores o el punto gobelino, pueden ser usadas para representar temas con una perfección casi fotográfica. Muchos diseños decorativos encuentran un equilibrio entre el interés del tema y lo intrincado de los puntos.

DISEÑOS TRADICIONALES RENOVADOS

Pájaros, animales, flores, corazones y estrellas han sido toda la vida los motivos favoritos de los bordados, y se han realizado de mil maneras en todo el mundo, a lo largo de los siglos, según el estilo y la moda de la época. Actualmente, los bordadores se divierten haciendo sus propias versiones, de la misma manera que un músico improvisaría una melodía tradicional.

◄ **COJÍN CON ÁRBOL DE LA VIDA**
Jolly Red
40 x 40 cm
Punto de cruz con lanas de tapicero sobre cañamazo de 10 cuentas.
Uno de los temas preferidos desde el siglo XVII, el Árbol de la Vida, se interpreta aquí desde un punto de vista moderno.

▲ **COJÍN CON ELEFANTE INDIO**
Jolly Red
37,5 x 37,5 cm
Punto de cruz con lanas de tapicería sobre cañamazo de 10 cuentas.
Los elefantes han sido representados en los bordados con todas las técnicas imaginables. Aquí está acompañado de un marco con diseños procedentes de la India, realizados en punto gobelino.

▲ **ESTALLIDO DE ESTRELLAS EN NEGRO**
Leon Conrad
10,5 x 10,5 cm
Pespunte, punto lineal y punto Holbein con hilo de seda sobre
lino de 32 cuentas
Este diseño a cuartos, inspirado por el recargado estilo de la
labor en negro del siglo XVI, se acentúa con pequeñas cuentas.

▶ **CORAZONES**
The Bold Sheep
11 x 13,2 cm
Punto de cruz con hilos de
algodón sobre Aida 14.
Otro motivo tradicional,
repetido en una
disposición sencilla en
hileras, con diferentes
diseños para rellenar las
formas de los corazones.

▲ **GINYA GUSI (CHICAS Y GANSO)**
Leon Conrad
28 x 45,5 cm
El punto de cruz y los pespuntes se han hecho con algodón o
hilo de seda sobre lino de 28 cuentas.
Estos estilizados motivos del folclore ucraniano en forma de
chicas, pájaros y flores se repiten en cenefas hechas a punto de
cruz clásico.

▲ **COJÍN REINA DE CORAZONES**
Jolly Red
30 x 30 cm
Punto de cruz con lana de tapicería
sobre cañamazo 10
Colores modernos y vibrantes
actualizan este diseño basado en los
clásicos corazones, decorados con
ramitas y flores.

▲ ◀ **EDREDÓN ANTIGUO**
EDREDÓN CAMPESTRE
Web de la costura de Charlotte
14,7 x 14,7 cm
Punto de cruz con hilo de algodón
sobre Aida 14
Estos dos diseños se basan en los
clásicos diseños de los edredones
hechos de retales. La atrevida
geometría de las formas se adapta
muy bien al punto de cruz.

▲ LABOR EN NEGRO REVERSIBLE
Leon Conrad

17,8 x 7,5 cm

Punto de cruz reversible y punto Holbein con hilo de seda sobre tela Hardanger de 22 cuentas.

Estos diseños geométricos se han hecho de forma que el colgante sea idéntico por ambas caras.

▼ EL GUSTO DE LOS COJINES ORIENTALES
Coats Crafts

50 x 50 cm

Punto de cruz, doble punto de cruz, pespuntes, punto estrella, nudos franceses y punto lineal con hebras de algodón sobre lino irlandés.

Los elefantes de la labor en negro están rodeados por arcos con filigranas y resaltados con hilos metálicos.

PANORAMAS Y PAISAJES

La complejidad de los temas exteriores ofrece muchas
opciones, ya que pueden ser representados como son o
estilizados, pero el diseñador tiene que decidir en
cualquier caso el detalle y lo qué dejará fuera.

▲ ▶ **CATEDRAL DE VENECIA,
PUEBLO MINERO, MOLINO
DE VIENTO**
Michael Powell
20 x 20 cm
*Punto de cruz y pespunte con
hilo de algodón sobre Aida 14*
La libertad para dibujar los
contornos y la riqueza de los
colores prestan una cualidad
mágica y novelesca a estos
paisajes a punto de cruz.

► **COJÍN DE ESTRELLAS FUGACES**
Jolly Red
15,2 x 22,7 cm
Punto gobelino usando lana de tapicería
sobre cañamazo 10
El tapiz bordado de casas somnolientas bajo
un cielo cuajado de estrellas queda realzado
por el fondo negro liso del cojín.

▼ **NOCHE ESTRELLADA**
Bothy Threads
25,6 x 31,2 cm
Punto de cruz con hilo de algodón sobre Aida 14
Otro cielo lleno de estrellas arremolinadas, adaptación de la
conocida obra de Vincent van Gogh.

▲ **PUEBLO MOSAICO**
Jolly Red
32,5 x 32,5 cm
Punto gobelino con lana de tapicería sobre
cañamazo 10.
Se ha usado una paleta de colores limitada a los
rojos, rosas y marrones dorados para mantener
«unido» el conglomerado de casas diferentes.

ANIMALES

Los animales pueden ser bordados en un estilo realista, de manera que parezcan vivos, o adaptarlos de muchas otras formas. Animales como el gato o la cebra son tan conocidos que podemos permitirnos un diseño casi abstracto, y aún así sería fácil reconocerlos y emocionarse con el diseño.

▲ OSOS POLARES
Joanne Louis Sanderson
4,4 x 8,8 cm
Punto de cruz y pespunte con hilo de algodón sobre tela Aida 14
Un cuidadoso uso de los puntos del contorno y las sutiles sombras animan estos osos, y la tela azul sin bordar proporciona un fondo helado creíble.

▲ ▶ COJÍN DE GATO RENACENTISTA, COJÍN DE GATO A RETALES
Jolly Red
40 x 40 cm
Punto de cruz usando lana de tapicero sobre cañamazo 10.
El punto de aguja (punto gobelino) sobre cañamazo es robusto y duradero, y lo hace ideal para artículos del hogar como cojines. El gato hecho con retales aprovecha otros retales dibujados, mientras que el gato renacentista se ha inspirado en las tapicerías de Cluny.

◀ COJÍN DE LIEBRES CORREDORAS, COJÍN DE GALLINAS MOTEADAS
Jolly Red
40 x 40 cm
Punto de cruz con lana de tapicería sobre cañamazo 10
Colores sutilmente desteñidos complementan estos temas campestres. Observa la anchura de los bordes, que sirve para centrar el diseño en cada cojín.

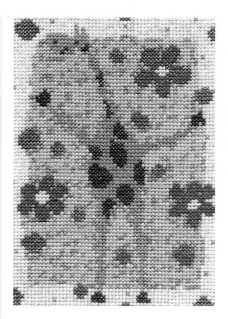

◄ **GEORGE
LA JIRAFA
The Bold Sheep**
11 x 15,5 cm
*Punto de cruz con
hebra de algodón
sobre Aida 14*
El punto de cruz es
tan versátil que aquí
se usa para hacer la
viñeta de una
historieta para niños.

◄▲ **ARCA DE NOE
Bothy Threads**
12 x 12 cm
*Punto de cruz con hilo de
algodón y pequeñas cuentas
sobre Aida 14*
Las cuentas y los botones se
le añaden a este sencillo
punto de cruz que cuenta la
historia del Arca de Noe.

◄ **MARTÍN PESCADOR
Joanne Louise Sanderson**
7 x 7,5 cm
*Punto de cruz, pespunte y nudos franceses con
hebra de algodón sobre Aida 14.*
Los tonos azul y naranja se unen para colorear este
trabajo naturalista y dar lugar al pájaro de la vida.

FORMAS NATURALES

Objetos decorativos con formas tan naturales como puedan serlo flores, hojas y conchas siempre han sido muy populares en los bordados, ofreciendo la posibilidad de representar la fluidez de las formas orgánicas con precisos puntos individuales.

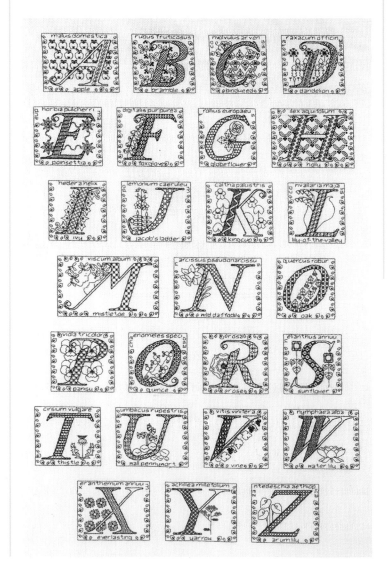

◄ **AMAPOLAS DE ASÍS**
Daphne Ashby
22,5 x 12,5 cm
Punto de cruz y punto Holbein con hilo de algodón y cuentas sobre Aida 14
La técnica tradicional del bordado de Asís se usa aquí para un diseño de flores naturalista, con los pétalos y las hojas sin bordar (excepto por los estambres amarillos) sobre un fondo sólido de punto.

◄ **ALFABETO FLORAL**
Claire Crompton
36 x 56 cm
Labor en negro con hilo de algodón sobre Aida 14
Cada letra se rellena con un diseño de labor en negro diferente y se decora con una flor o planta apropiadas, con un borde de pequeñísimas hojas que incluye el nombre de la planta en latín y su nombre común en inglés.

◄▲ **LABOR EN NEGRO DE TULIPANES Y DE MADRESELVA**
Leon Conrad
10 x 10 cm
Labor en negro con algodón perlé e hilo metálico, cuentas de vidrio y cristales sobre Aida 18
Estos diseños a cuartos repetidos de labor en negro están contorneados con hilo negro, rellenados con hilo metálico y decorados con cristales, sujetos sobre la tela con una pequeña cuenta.

► CONCHAS DEL CARIBE
Web de costura de Charlotte

25,3 x 32,5 cm
Punto de cruz, pespunte y puntos parciales con hilo de algodón sobre Aida 32
Puntos simples usados con una paleta de colores equilibrada, para expresar la variedad y el esplendor del mundo natural.

▼ LIRIO
Claire Crompton

20 x 44,5 cm
Labor en negro con hilo de algodón sobre Aida 14
Los rellenos en negro usados para las hojas y los pétalos tiene diferentes tonos. Observe como los bordes varían e incluyen varios insectos sobre otros motivos tradicionales.

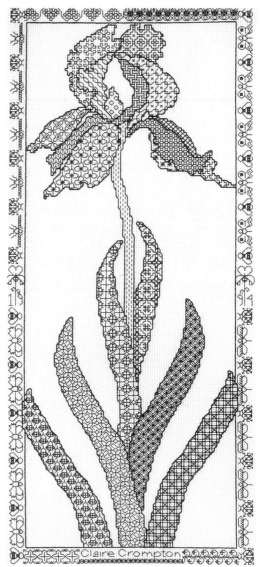

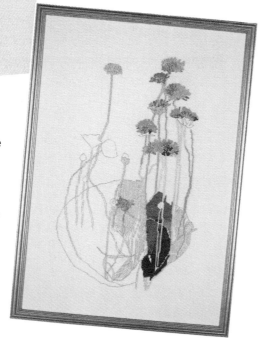

▲ ► RODODENDRO Y ARMERIA MARÍTIMA
Web de costura de Charlotte

18,8 x 22,5 cm
Punto de cruz, pespunte y puntos parciales con hilo de algodón sobre Aida 32
Los diseños de plantas son muy populares a punto de cruz y se pueden representar con mucho detalle. Aquí, la luminosidad del tratamiento no es exactamente realista, pero imita los efectos de las acuarelas de Charles Rennie Mackintosh.

INNOVACIONES

Algunos bordados están inspirados por las posibilidades de ciertos puntos o técnicas, otros por las opciones de un tema en particular. Si tienes una brillante idea, haz una pieza pequeña para ver como resulta trasladada al punto antes de empezar una labor más grande.

▲ **ENDRINOS Y NÍSPEROS**
Web de costura de Charlotte
25,7 x 37,5 cm
Punto de cruz, pespunte y puntos parciales con hebras de hilo sobre Aida 32
A partir de la obra de Charles Rennie Mackintosh, los colores suaves y el punto detallado expresan la gracia de las formas naturales, equilibrando las áreas contorneadas con áreas de color denso para conseguir un efecto de ligereza y luminosidad.

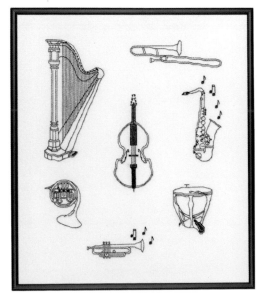

◀ **LA NOTA CORRECTA**
Web de costura de Charlotte
23,8 x 28,8 cm
Punto de cruz, pespunte y puntos parciales con hilo de algodón sobre Aida 32
Los puntos de los contornos, simples y de color negro, han dibujado las interesantes formas de estos instrumentos musicales con sumo detalle.

▲ **MARGARITAS**
Betty Barnden
21 x 31 cm
Puntos Hardanger, punto lanzado, punto Holbein, punto de cadeneta y punto de cruz con algodón perlé, hilo de algodón y viscosa sobre tela tramada de 20 cuentas.

Los centros de las flores están hechos a puntos Hardanger, y los pétalos se han añadido usando diversos tipos de puntos. El fondo de punto de cruz está hecho con un hilo oscuro.

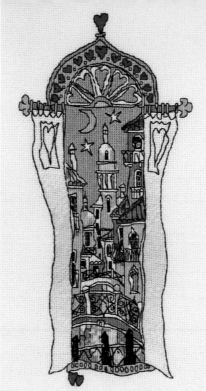

◀ **VENTANA VENECIANA**
Michael Powell
15 x 30 cm
Punto de cruz y pespunte
con hilos de algodón sobre
Aida 14
Michael Powell trabaja a partir
de sus propias pinturas y
dibujos, y utiliza punto de cruz
y pespunte para expresar su
particular manera de utilizar
líneas fluidas y ricas, atrevidas
y henchidas de colores.

▼ **BOLSA DE LINO CON**
UN BORDADO AÑADIDO
Claire Crompton
11,3 x 11,3 cm
Punto de cruz, puntos
líneales, cuentas y metales
clavados con hebra de
algodón sobre Aida 14
Las piezas de metal clavadas
se rodean con puntos largos
que confluyen en ellas, sobre
un fundo de cuadros de
punto de cruz, con cuentas
pequeñas en el cuadra-
do del centro y
alternadas en
los bordes.

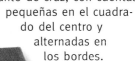

Cuidados del bordado

Si enmarcas el bordado para enseñarlo o

lo usas para algo tan práctico

como un cojín, podrás conservar los

colores frescos y la tela o el cañamazo

en buenas condiciones con un poco de cuidado

por tu parte, y lo disfrutarás muchos años.

PON LA LABOR A LA SOMBRA

Evita colocar el bordado, enmarcado o no, a la luz del sol, ya que los colores podrían desteñirse. El polvo y la humedad también deben evitarse.

ALMACENADO

Para almacenar la labor durante un largo periodo, es mejor protegerla entre capas de papel de seda libre de ácido, y guardarla plana en un lugar oscuro.

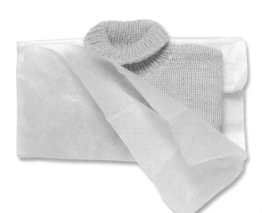

Para piezas grandes, consigue un tubo de cartón de los anchos y cúbrelo con papel de seda, enrolla luego la labor del derecho sobre el tubo y envuélvela con más papel de seda.

Si no puedes evitar doblar el bordado, pon papel de seda entre las dobleces. De vez en cuando, abre la labor y haz dobleces diferentes. Protege siempre el lugar donde la guardas contra las polillas.

LA ASPIRADORA

Los bordados sobre cañamazo pueden limpiarse con una aspiradora de vacío. Usa una entrada plana y sujeta una pieza de muselina sobre la boquilla con una goma para reducir la succión.

Si la pieza es delicada y los hilos tienen tendencia a salirse, extiéndela y cúbrela con muselina sujeta con alfileres, antes de aspirar con la boquilla a cierta distancia de la tela.

LIMPIEZA EN SECO DEL BORDADO

Muchos tipos de tela y cañamazo pueden ser limpiados en seco. Si es posible, siempre será mejor hacer un prueba con una muestra de un material idéntico.

LAVAR EL BORDADO

Si es posible, quita primero el forro o la parte posterior de la tela, que se pueden lavar por separado antes de volverlas a colocar. La operación es recomendable sobre todo para trabajar con cañamazo, que requerirá probablemente devolverle el tamaño. Para el cañamazo que se ha hecho en una forma o tamaño dados (como una funda de silla) es una buena idea hacerse una plantilla de papel para volver a dejar la pieza con el mismo tamaño después del lavado.

Controla también la pérdida de color. Si no tienes una pieza de muestra para comprobarlo, humedece una pieza de algodón absorbente y aprieta sobre el revés de la labor, en una esquina sin importancia. Si aparecen trazas del color en el algodón absorbente, no laves la labor. Asegúrate de comprobar todos los colores de la pieza.

NECESITARÁS:

un recipiente de fondo plano, lo bastante grande para contener la labor estirada (una bandeja de ducha sería ideal)

agua templada

jabón suave o un champú para bordados (no uses nunca detergente)

esponja

toalla

1 Echa de 5 a 7, 5 cm de agua templada en el recipiente (nunca agua caliente) Añade un poco de jabón o champú y disuélvelo a fondo.

2 Introduce despacio el bordado en el recipiente, con el revés hacia arriba. Presiónalo por detrás con suavidad pasándole la esponja. No frotes o estrujes nunca la labor y mantenla plana sin dobleces o arrugas.

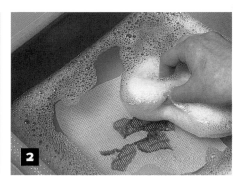

Si es necesario, repite el lavado con más agua templada y jabón o champú. Cuando cambies el agua, evita arrastrar la labor: no la saques del agua, echa el agua fuera y déjala plana en el recipiente.

3 Cuando la labor esté limpia, enjuaga todas las trazas de jabón con varios cambios de agua fría. Un teléfono de ducha puede ser ideal para esto, pero asegúrate de que el agua no tiene demasiada presión.

4 Deja la labor boca arriba sobre una toalla o en una superficie plana. Usa una esponja seca para acabar de secar la labor y quitar el exceso de humedad.

El cañamazo puede ser fijado como en la página 67, usando una plantilla de papel si hace falta.

Deja la labor plana hasta que esté completamente seca.

Glosario

AGUJA DE COSER una aguja de tamaño mediano con un ojo grande y una punta afilada.

AGUJA DE BORDAR una aguja de tamaño mediano-grande con un ojo grande y punta roma.

ALGODÓN un hilo o tejido natural hecho de las fibras de la planta del algodón.

ALGODÓN DE BORDAR un hilo fino, enrollado y de color mate.

ALGODÓN PERLÉ un hilo firmemente enroscado con un acabado brillante.

BASTIDOR DE LISTONES un bastidor rectangular con dos rodillos ajustables que se usan para tensar grandes piezas de tela o cañamazo y evitar que se distorsione la labor.

BASTIDOR REDONDO un bastidor con dos aros solapados que se utiliza para tensar la tela al bordar y evitar con ello distorsiones.

BLOQUE A PUNTO LANZADO un bloque a puntos lanzados (normalmente 5) que se utiliza en la labor de Hardanger para reforzar los bordes en los que se cortarán los hilos.

BORDADO A PUNTO CONTADO todos los bordados en los que las puntadas se colocan en un lugar concreto contando los hilos o puntos de la tela.

CALADO todos los bordados que producen agujeros en la superficie de una tela (por ejemplo, la labor Hardanger).

CALIBRE el número de agujeros (o hilos) por cada 2,5 cm de cañamazo.

CAÑAMAZO una trama abierta, normalmente sólida y rígida, con una cantidad regular de hilos (y por tanto de agujeros) por cada 2,5 cm en cada dirección.

CAÑAMAZO DESHECHABLE un cañamazo diseñado para deshacerse al entrar en contacto con el agua utilizado para hacer dibujos de labor a punto contado sobre telas lisas.

CAÑAMAZO DE PLÁSTICO una malla modelada de plástico.

COLOR NO DESTEÑIBLE la capacidad de los hilos y telas de resistir el lavado sin desteñirse o perder el color.

CUENTA el número de puntos (o hilos) por cada 2,5 cm de una tela de trama uniforme o Aida.

DISPOSICIÓN DE UN DIBUJO CON ORIENTACIÓN VERTICAL un dibujo que se repite de una forma en concreto.

DISPOSICIÓN EN FORMA RECTA un tipo de dibujo que se repite, en el que los motivos están dispuestos como los ladrillos de una pared.

ENTRETELA una tela no tejida (disponible en varios pesos y colores) utilizada para reforzar una prenda terminada o para evitar que el color del forro se vea.

FIJAR humedecer y tender una labor terminada para fijar su forma.

GUATA un forro de tela sintética o natural utilizada para acolchar.

HEBRA DE MEZCLA un hilo extremadamente fino que se utiliza en combinación con otros hilos.

HILVANAR una puntada temporal, normalmente grande y de bastilla, que se utiliza para sujetar la tela en su sitio hasta terminar la labor y para marcar las líneas de centro.

HILO DE LA TELA las líneas rectas de los hilos sobre los que se teje la tela.

HILO MOULINÉ un hilo que normalmente tiene seis hebras finas y se presenta en forma de madeja.

LABOR DE ASÍS un tipo de punto de cruz que se caracteriza por tener el dibujo principal sin puntear y el fondo de la labor punteada.

LABOR DE HARDANGER un tipo de bordado a punto contado y calado con hilos cortados y dispuestos para dibujar patrones geométricos, originario de la zona de Hardanger en Noruega.

LABOR EN NEGRO un tipo de bordado a punto contado que se caracteriza por repetir un dibujo con puntadas pequeñas y rectas. Tradicionalmente, la labor se realizaba con hilo negro sobre lino blanco.

LABOR SOBRE CAÑAMAZO un bordado sobre cañamazo en el que las puntadas se bordan de forma regular contando los puntos.

LANA hilo o tela natural procedente de la lana de oveja.

LANA PARA TAPICERÍA un hilo de lana lisa sin hebras.

LANA PERSA un hilo de lana en hebras.

LÍNEAS DE CENTRO las líneas marcadas en el gráfico para indicar el centro del dibujo, hilvanadas sobre la tela para marcar el punto central de la labor.

LÍNEA DE REALCE coser un hilo (el «hilo tendido») sobre la superficie de una tela punteándolo en su sitio con otro hilo más fino (el «hilo de sujeción o de realce»).

LINO un hilo o tela natural hecho de las fibras de la planta del lino.

LÚREX un hilo de color metálico utilizado para hacer hilo de lana o tela.

MADEJA hilo o lana que se suministra en un ovillo.

MUESTRA un trozo de tela con ejemplos de varias puntadas y dibujos que sirve de apoyo en las labores.

MUSELINA una tela ligera de algodón de trama abierta.

NUDO DE INICIO un método para comenzar a coser.

PAÑO DE PLANCHA un paño limpio y blanco que se utiliza para proteger la labor mientras se plancha.

PAPEL PERFORADO una hoja de papel fuerte perforada con una trama de pequeños agujeros, disponible en varios colores y cuentas.

PICO un pequeño nudo o vuelta que se realiza con la aguja.

PLANTILLA un papel o cartón cortado con la forma y el tamaño exacto necesario para un trozo de tela en concreto.

PUNTADAS PARCIALES una puntada como el punto de cruz de tres cuartos y un cuarto, que forma unidades incompletas para retocar los bordes de una zona de la labor.

RELLENO un dibujo pequeño que se repite para rellenar una zona, como en el caso de las labores en negro, o un motivo utilizado para rellenar un espacio de la labor de Hardanger; también es el material (o fibra) utilizado para rellenar un artículo, como un cojín o almohada.

REPETICIÓN DE UN DIBUJO POR CUARTOS un tipo de dibujo de repetición en el que sólo se necesita tener el gráfico de un cuarto.

SEDA un hilo o tela natural procedente de los capullos de los gusanos de seda.

SEDA FLOJA un hilo de seda con hebras.

TABLA PARA FIJAR una tabla acolchada para tensar la labor.

TELA AIDA una tela de trama uniforme y cuadriculada.

TEJIDO BINCA una tela tejida de forma uniforme, similar a la tela Aida pero de trama más grande.

TELA DE TRAMA UNIFORME una tela tejida con el mismo número de hilos por pulgada en cada dirección.

TELA ESTABILIZADORA una tela normalmente no tejida que se utiliza para reforzar el bordado y evitar la distorsión de la labor.

TELA HARDANGER un tipo de tela Aida tejida firmemente, usualmente de 22 o 24 cuentas.

TIRA AIDA una tira de tela Aida que se vende por metro con una amplia gama de anchos y colores.

TIJERAS PARA CORTAR TELA tijeras grandes con el borde inferior plano diseñadas específicamente para cortar tela.

VISCOSA un tejido fabricado por el hombre, derivado de la celulosa, utilizado para producir hilos con un acabado muy brillante.

Proveedores

PROVEEDORES ESPAÑOLES DE MATERIALES PARA EL BORDADO:

O'DONNA
Reyes Católicos, 20
04001 Almería
tel: 950 265 886

KOKI
Pintor Zuloaga, 1-derecho
11010 Cádiz
tel: 956 276 576

LOLA BOTONA
Plaza Alandreros, 3
14008 Córdoba
tel: 957 488 357

CAÑAMAZO.
Emilio Moré, 6
18600 Motril, Granada
tel: 958 605 537

LABORMANÍA PUNTO DE CRUZ
Madre Isabel Moreno, 3
41005 Sevilla
tel: 954 634 365

EL BASTIDOR
Ramón de Campoamor, 20-22
50010 Zaragoza
Tel: 976 348 206

LA ROSA, LANAS Y LABORES
Marqués de Pidal, 4
33004 Oviedo
tel: 985 240 723

FIL D'OR
Cano, 32
35002 Las Palmas
tel: 928 433 322

FIL D'OR
Imeldo Serís, 60
38003 Santa Cruz de Tenerife
tel: 922 275 034

LABORES DORA
Hernán Cortés, 21
Santander
tel: 942 212 651

NUEVA MERCERÍA
Serafín Escalante, 4
Torrelavega, Cantabria
tel: 942 881 029

MOLY LABORES
Collado Piña, 45
Albacete

BORDADOS Mª CARMEN
Arenal, 82
09200 Miranda de Ebro, Burgos
tel: 947 312 614

EL BAÚL
Portiña del Salvador, 21
Talavera de la Reina, Toledo

LA CASA DE LAS LABORES
Las Madres, 16
05001, Ávila

DEDAL Y COLORES
Pasaje Fdo. de Rojas, 1, bajo
Burgos

PHILDAR
Plaza del Trigo, 11
09400 Aranda de Duero, Burgos
tel: 947 506 513

ENTREDÓS
Ordoño II, 17
León

LAS HILANDERAS
Avda. José Aguado, 12, bajos
León

SINGER
Pollo Martín, 33
Salamanca

A PUNTO
Montero Calvo, 13
47001 Valladolid

VAINICAS
Torrecilla, 7
47001, Valladolid
tel: 983 264 988

DONA PUNT DE CREU
Provença, 256-258
08008 Barcelona
tel: 934 882 784

EL TALLERET
Pintor Casas, 3-5
08031 Barcelona
tel: 933 583 204

FILD D'OR
Muntaner, 327
08021 Barcelona
tel: 934 307 288

IMAGINE
Gran de Gracia, 51
08012 Barcelona

LA PIÑA
Av. Príncipe de Asturias, 17
08012 Barcelona
tel: 934 159 774

MERCERÍA SANTA ANA
Av. Portal de L'Àngel
08002 Barcelona
tel. 933 188 563

OYAMBRE
Pau Claris, 145
08009 Barcelona
tel: 932 154 348

TRAU I BOTÓ
Av. Joan XXIII, 19-21
08320 Masnou, Barcelona
tel: 935 552 462

EL TAMBOR
Antonia Canet, 16
08100 Mollet del Vallés,
Barcelona
tel: 01422 327 900

LLUNA
Rambla de la Pau, 63
08800 Vilanova i la Geltrú,
Barcelona
tel: 938 153 827

EL PETIT PUNT
Plaza de Vic, 4
Girona

FIL D'OR
Prat de la Riba, 3
43201 Reus, Tarragona
tel: 977 314 718

MERCERÍA LUIS
Beatriz de Silva, 7
Ceuta

MERCERÍA PUNTO DE CRUZ
Ramón y Cajal, 7
06700 Villanueva de la Serena,
Badajoz
tel: 924 847 539

EDER
Peñaflorida, 6
20004 San Sebastián
tel. 943 426 997

MERCERÍA EL DEDAL
Paseo de los Fueros, 13
Baracaldo, Guipuzcoa

LA CASA DE LAS LABORES
Elkano, 5
20011 San Sebastián
tel: 943 474 657

PUNTO A PUNTO
Artecalle, 3
48930 Las Arenas, Vizcaya
tel: 944 801 914

FIL D'OR
Rodríguez Arias, 50
48013 Bilbao
tel: 944 424 908

RINCÓN DE ARTE
Galerías Viacambre, L-10
32003 Orense
tel: 988 220 090

HEBRA
María Berdiales, 14
Vigo, Pontevedra

COSTUREIRO LABORES
Edelmiro Trillo, 12
36600 Villagarcía de Arosa,
Pontevedra
tel: 986 511 404

MONTECATINI
Grande, 1
26500 Calahorra, la Rioja
tel: 941 146 807

FIL D'OR
Paulino Caballero, 45
431003 Pamplona
tel: 948 242 679

LOLA BOTONA
Obispo Abat y Lasierra, 2
Ibiza

LANAS PATRICIA
Reyes Católicos, 91
Palma de Mallorca

FIL A FIL
Avda. Capitán Negrete, 37
Ciutadella, Menorca

ALIFAR
Torquemada, 21
28043 Madrid
tel: 913 813 204

AÑORANZAS
Lagasca, 69
28001 Madrid
tel: 915 773 504

BIMBI
Hermosilla, 49
28001 Madrid

A PUNTO DE... CRUZ
Pedro Muguruza, 3
28036 Madrid
tel: 913 813 204

LOAN
Matilde Hernández, 88
28025 Madrid
tel: 914 626 100

LOLA BOTONA
Mejía Lequerica, 11
28004 Madrid

MERCERÍA ARCA DE NOE
Lopez de Hoyos, 134
28002 Madrid
tel: 914 150 849

CAÑAMAZO
Guzmán el Bueno, 39
28015 Madrid

DE PUNTILLAS
José Abascal, 28
28003 Madrid
tel: 914 473 480

SAMANTHA TAYLOR
Paseo de la Habana, 14
28036 Madrid
tel: 915 619 031

LUY IDEAS
Bazán, 29
03005 Alicante
tel: 965 210 357

EL BROCHE
Nuevo Centro, Local 33-A
46009 Valencia
tel: 963 523 521

LABORES ROSA
Ronda Magdalena, 65
12004 Castellón
tel: 964 206 228

FIL D'OR
Ruzafa, 4
46004 Valencia
tel: 963 523 521

Índice

Créditos

La autora quisiera agradecer la colaboración de las siguientes empresas por haber facilitado hilos, telas y materiales para crear este libro:

Coats Crafts UK, DMC Creative World Ltd., Lazertran UK

Y a Jan Eaton y Marina Blank por haber prestado los bordados de sus colecciones.

Quarto quisiera agradecer la colaboración de las siguientes empresas y personas por haber dejado que sus labores se reprodujeran en este libro:

(Leyenda: i=inferior, s=superior, c=centro, iz=izquierda, d=derecha)

The Bold Sheep 141id, 147siz; **Bothy Threads** 12sd, 145id, 147id, 147c; **Charlotte's Web Needlework** 12siz, 16iiz, 142sd, 142ic, 149sc, 149izc, 149ic, 150ic, 150sc, 150sd; **Claire Crompton** 148iiz, 149id, 151id; **Coats Crafts UK** 42iiz, 44id, 78i, 143d; **Daphne Ashby** 148sd; **Jan Eaton** 8sd, 9sd, 10sc; **Joanne Louise Sanderson** 146sd, 147iiz; **Jolly Red** 140iiz, 140cd, 142siz, 145iz, 145sd, 146izc, 146c, 146i; **Leon Conrad** 141iz, 141sd, 143iz, 148c, 148cd; **Michael Powell** 144iz, 144sd, 144id, 151iz, 161sd; **Textile Heritage Collection** TM 27id.

Todas las fotografías e ilustraciones son copyright de Quarto Publishing plc. Aunque se ha hecho todo lo posible por reconocer a las personas que han contribuido con sus obras, nos disculpamos de antemano por las posibles omisiones o errores.